LE TEMPS PRÉSENT

PACO RABANNE

LE TEMPS PRÉSENT

Les Chemins des grands Initiés

103, boulevard Murat - 75016 Paris

DU MÊME AUTEUR

TRAJECTOIRE
D'UNE VIE À L'AUTRE
Michel Lafon-Édition°1, 1991

LA FIN DES TEMPS
D'UNE ÈRE À L'AUTRE
Michel Lafon, 1993

Lorsque, en 1990, Michel Lafon me demanda de raconter les différentes expériences et rencontres de ma recherche spirituelle, je ne savais pas que je cheminerais avec deux êtres merveilleux - Huguette Maure et Olivier de Broca - qui allaient me permettre, dans les moments de doute et d'incertitude, de fouiller plus avant les ombres de mes souvenirs et de mon retranchement...

Merci encore à eux deux, pour leur clarté et leur amitié, qui m'ont incité à poursuivre la rédaction de cette trilogie.

AVANT-PROPOS

Pour que demain soit aussi une promesse

Ce livre est le dernier volet d'une trilogie. Dans Trajectoire, j'évoquais mon passé, à travers mes premières découvertes spirituelles, et notamment ma croyance en la réincarnation. La Fin des Temps *essayait ensuite de dresser un tableau – souvent noir – de notre avenir «possible», en confrontant les prophéties anciennes et les craintes des scientifiques contemporains.*

La nécessité du premier ouvrage s'était imposée naturellement. Où, sinon dans notre mémoire, pourrions-nous puiser le fragile souvenir de notre bonheur édénique, et la nostalgie de l'époque où nous vivions dans l'unité divine ? Quant à la Fin des Temps, *il s'agissait d'une sévère mise en garde, et non de prédictions catastrophiques irrémédiables, je l'ai bien précisé : à titre individuel et collectif, nous restons maîtres de notre destin. J'ai rappelé que la «fin des temps» n'était pas la fin du monde, mais la fin d'un Temps, le passage d'un cycle à l'autre – de l'ère des Poissons à l'ère du Verseau –, auquel s'ajoute le terme du Kali-Yuga des hindous, cet âge de fer, de violence et de ténèbres grandissantes. Que les prophéties annoncent à cette occasion des bouleversements cataclysmiques et un grand péril pour le genre humain, nous ne pouvons qu'y croire : nous y sommes déjà. Les scientifiques eux-mêmes s'en inquiètent : la rupture de la chaîne humaine est aujourd'hui une possibilité technique, l'homme ayant les moyens de mettre fin à son histoire. Ce ne sont plus les civilisations qui se savent mortelles, selon l'expression de Valéry, mais l'humanité tout entière. Cependant, j'ai dit et je répète que cet anéantissement n'a rien d'inéluctable, à condition que les êtres humains acceptent de changer leur comportement, vis-à-vis d'eux-mêmes, des autres, et du Cosmos en général, auquel nous participons tous.*

Car l'accès à l'ère du Verseau va s'accompagner – aussi – d'une mutation formidable, prometteuse de lumière et de paix : en profiterons-nous ? Nous sommes en effet à l'aube d'un changement de Plan vibratoire. Rappelons que depuis la chute originelle, l'homme est séparé de la lumière divine, prisonnier de la matière. Sa lente remontée vers la spiritualité s'effectue en sept paliers, du plus dense au plus éthéré. Après le stade d'humanoïde à peine sorti du règne animal, puis le stade de l'homme préhistorique, nous sommes actuellement dans le Troisième Plan, celui de l'Homo Sapiens. Lorsqu'ils quittent cette Terre, la plupart d'entre nous passent au Quatrième Plan, un monde décorporé où les âmes se perfectionnent, mais ne sont pas encore dans la lumière de Dieu. Celle-ci n'est atteinte qu'au Septième Plan vibratoire. Et pour en arriver là, l'âme devra se réincarner afin d'effacer – dans une nouvelle épreuve terrestre – toutes les actions négatives qui lui sont restées attachées. Si elle réussit cette épuration, elle passera progressivement au Cinquième Plan, le plan paradisiaque, puis au Sixième, où elle retrouvera le souvenir de toutes ses vies passées, et enfin au Septième Plan vibratoire, l'extase dans la communion avec Dieu. Long chemin s'il en fut, sachant que nous végétons ici-bas au troisième degré de l'échelle !

Or toutes les traditions indiquent que l'ère du Verseau marquera le passage, sur Terre, du Troisième au Quatrième Plan vibratoire. C'est dire que cette nouvelle Époque n'aura rien à voir avec notre sauvagerie actuelle ! Ce sera un âge d'harmonie, où l'Homo Sapiens lui-même devrait s'élever au rang d'Homo Spiritualis, réconcilié dans un Amour universel. On se demande pourquoi nous faisons si peu d'efforts pour profiter de cette promotion ! Les signes sont pourtant là : nous pouvons déjà voir, si nous savons regarder, que le Cosmos tout entier se prépare à cette mutation vibratoire : pourquoi l'homme résiste-t-il, s'enlise-t-il dans la négativité des actes destructeurs, au risque de mettre en péril sa planète ? Qu'il ne s'y trompe pas, l'Univers perdurera sans lui, voire sans la Terre : est-ce vraiment ce que nous souhaitons ? Alors que nous pouvons intervenir, non seulement pour sauver notre monde, mais pour mieux vivre, aujourd'hui, ces périodes de turbulences ! Tout est lié, encore faut-il faire vite. Nous sommes dans les «Temps réduits» où tout s'accélère ici-bas, pour le meilleur ou pour le pire. Or le microcosme de notre être est à l'image du macrocosme, le «monde» commence en chacun de nous. Alors à nous d'agir, d'abord, sur nous-mêmes et dans le Temps présent.

C'est pourquoi ce livre se propose de nous soustraire à la contemplation fascinée de l'hier comme du lendemain. Selon la formule bien connue, le premier n'existe plus et le second pas encore. Ne nous dérobons pas à la réalité présente! Méfions-nous de la vogue actuelle des anniversaires en tous genres qui saisit les gouvernements, les institutions comme les médias, et chassons de notre esprit les regrets passéistes. Le temps essentiel, celui où tout se joue, c'est le présent. Je concède qu'il n'y a pas là grande révélation, mais il est des évidences qui ne sont pas mauvaises à rappeler.

Est-il besoin de préciser que vivre ce présent ne se résume pas en un carpe diem *hédoniste qui aboutirait à une morale du relâchement, avec pour devise: «Profitons-en tant que ça dure, et après nous le déluge»? N'oublions pas que le Déluge, il a fallu plus de six mille ans pour en revenir, et que l'Arche de Noé n'a sauvé que quelques-uns.*

On me rétorquera que mourir n'est pas grave, quand on croit à la réincarnation. Sans doute, mais si l'homme disparaît du Cosmos, comment se réincarnera-t-il? Les naufragés de la grande tempête de fin de cycle, s'ils n'ont pas évolué pendant cette vie-ci, risquent fort d'errer éternellement dans un Plan vibratoire intermédiaire, incapables à jamais de s'approcher de Dieu.

Il faut se garder, en effet, de mal interpréter la théorie de la transmigration des âmes. Précisons bien que nous ne nous réincarnons pas pour avoir une vie meilleure que la précédente, mais pour alléger notre karma. C'est dans l'au-delà que se situe la progression, la récompense si j'ose dire, pas ici. Vous pouvez être empereur sur Terre et vous trouver néanmoins au plus bas de l'échelle spirituelle, tandis qu'un berger en sera peut-être à son ultime réincarnation. Le but est de mériter, à sa mort, de passer au Cinquième, puis au Sixième Plan, avant de se fondre dans le Tout, séjour de Joie sans retour. C'est dire que, même si je me souviens de mes vies antérieures, l'important reste ce que je fais chaque jour de cette vie nouvelle, pour m'améliorer, mieux approcher les autres, et mieux me rapprocher de l'Un. Se rappeler, ou imaginer ses existences passées ne doit pas inciter au fatalisme paresseux: «Je me suis mal conduit au siècle dernier, ou bien j'ai été trop heureux, mon malheur actuel n'est que justice.» C'est là une caricature dangereuse de la théorie de la réincarnation. Si croire à cette réincarnation ne doit être qu'un refuge pour timorés ou masochistes, alors j'aimerais autant qu'on y renonce. Assumer notre karma, c'est savoir que notre destin, notre évolution et notre remontée vers la Lumière dépendent de notre façon de vivre aujourd'hui.

«Convertissez-vous car le Royaume des Cieux est tout proche», *lit-on dans l'Évangile selon Matthieu (IV, 17). Cette conversion ne consiste pas — en tout cas pas seulement — à nous repentir de nos fautes: il s'agit d'un véritable «retournement» vers une réalité entièrement autre, qui passe par l'adoption dans la pratique d'un mode de vie différent. Et dans ces Temps réduits, l'alternative devient pressante: ferez-vous partie de ceux qui périront dans l'adoration de fausses idoles, ou bien vous joindrez-vous à ces pionniers qui s'efforceront de sortir indemnes du passage vers l'ère du Verseau?*

Il ne s'agit d'ailleurs pas d'en conclure que le seul moyen d'atteindre cette vie nouvelle implique de se détourner des choses matérielles pour devenir moine ou mendiant. Cette croyance n'est au fond que l'excuse la plus commune pour ne pas commencer le chemin: si l'on se met en tête que le seul choix réside entre une vie d'ascèse et une vie d'abondance, on a tôt fait de renoncer à devenir un apprenti saint. Or nous verrons que les textes sacrés, de quelque horizon qu'ils soient, nous montrent bien qu'on peut franchir les étapes de l'évolution spirituelle tout en menant une vie «normale», en assumant son travail, sa famille, ses amours. Ils nous donnent même de multiples «recettes» pour mieux affronter les difficultés quotidiennes. Le Nouvel Âge n'a rien inventé: toutes les saintes lectures sont, dans une première approche, autant de manuels de mieux-vivre sur Terre. Après quoi viennent, pour qui sait lire les «mots qui sont derrière les mots», les routes difficiles de ce que nous appelons le Ciel.

Et de nos jours, ces routes ne doivent plus être l'itinéraire de quelques rares élus. Le travail d'affinage alchimique, l'épuration personnelle sont devenus une nécessité, et bien davantage, une urgence, pour chacun d'entre nous. Certains traités gnostiques prétendent, certes, que les révélations permettant la réintégration dans la lumière divine doivent rester strictement secrètes. Ils mettent en garde contre une divulgation inopportune de ces secrets, invoquant même des êtres effrayants qui assureraient leur protection. Platon de son côté conseillait à tout homme sérieux de s'abstenir de disserter par écrit des questions sérieuses. Peut-être avaient-ils raison, les uns et les autres, de se montrer aussi prudents... Mais nous sommes aujourd'hui à un moment critique : toutes les traditions anciennes reconnaissent qu'à la fin des Temps, au passage d'un cycle à l'autre, il est permis et même souhaitable de porter au jour certaines connaissances, afin que la Vérité, perdue de vue par une humanité déboussolée, puisse redevenir opérative et régénérer le monde.

N'allez pas croire pourtant que j'aie l'outrecuidance de révéler ici cette Vérité première, ni la présomption de proposer une méthode infaillible pour y parvenir. Je ne vise qu'à remettre en pratique les conseils fondamentaux des grands Initiés, pour aider chacun d'entre nous à faire le chemin. Mon vœu le plus cher serait qu'à la fin de cet ouvrage le lecteur puisse rejeter le désespoir ambiant, et cette attitude qui considère l'objet divin comme désirable mais toujours inaccessible, sauf peut-être pour quelques athlètes de la spiritualité, âmes sanctifiées ou mystiques. L'espoir de réunion avec Dieu se situe bien dans cette vie présente et il est offert à chacun d'entre nous. À ceux qui en doutent ou qui hésitent à se lancer dans l'aventure, le Coran (sourate VI, verset 50) conseille de leur parler ainsi : « Dis-leur : je ne vous dis pas que je possède les choses cachées ; je ne vous dis pas que je suis un ange, je ne fais que suivre ce qui m'a été révélé. Dis-leur : l'aveugle et le clairvoyant seront-ils à l'égal l'un de l'autre ? N'y réfléchissez-vous pas ?» *Car, lit-on plus loin (sourate XVII, 72),* «celui qui est aveugle dans ce monde le sera aussi dans l'autre, et se trouvera sur le sentier du plus funeste égarement».

Mais encore une fois, c'est à vous de choisir. L'ascension spirituelle appartient à l'intimité de chaque être. Si ce livre vous donne envie de l'entreprendre, alors il aura atteint son but. Pour le reste, méditez la phrase d'Hermès Trismégiste: «L'Œuvre est avec vous et chez vous, de sorte que, le trouvant en vous-mêmes, où il est continuellement, vous l'avez aussi toujours, quelque part que vous soyez, sur terre ou sur mer.»

Et plus vous poursuivrez cet œuvre, plus les voiles de la Connaissance se soulèveront pour vous. Vous trouverez alors dans les Textes une vibration révélatrice, au-delà des phrases. Peut-être aurez-vous envie d'aller encore plus loin, et de vous plonger dans les grimoires de l'interprétation ésotérique des Écritures sacrées.

Mon propos, cependant, n'est pas ici de jouer les kabbalistes ou autres grands décrypteurs des révélations ancestrales, mais juste de transmettre quelques découvertes utiles de ma longue expérience.

Amos disait: «Je ne suis pas prophète, ni fils de prophète, mais seulement un pâtre ramasseur de figues.» *Sur les humbles sentiers de ma quête personnelle, j'ai cueilli pour vous quelques fruits...*

Paco Rabanne

CHAPITRE PREMIER

CHASSER LES SERPENTS DU STRESS

*Yahvé Dieu appela l'homme:
« Où es-tu ? » dit-il. « J'ai entendu
ton pas dans le jardin, répondit
l'homme ; j'ai eu peur parce que je
suis nu et je me suis caché. »*

Genèse, III, 9-10

Le monde d'aujourd'hui est saisi d'une étrange maladie. Depuis une génération environ, nous avons été les témoins de la lente propagation de ce virus, qui se glisse dans nos veines, glace notre sang et dessèche nos cœurs. Nous lui cherchons vainement un vaccin : extrêmement contagieux, le mal se répand comme une traînée de poudre, faisant des ravages dans toutes les couches de la société. Ce cancer, c'est le stress, la forme la plus pernicieuse de la peur.

Longtemps, bercés d'illusion par les chants du progrès et par l'optimisme béat des experts en prospective, nous avons vécu sans cette sourde épouvante – à moins qu'elle ne se fût momentanément repliée sur une autre partie de la planète. Les guerres restaient locales (et lointaines), les crises passagères. Jusqu'aux catastrophes technologiques et naturelles qui semblaient exceptionnelles et circonscrites. Mais de nos jours, la peur fait un retour en force, elle triomphe aux quatre coins du globe, et rares sont ceux qui peuvent prétendre lui échapper.

Peur du chômage, peur des étrangers, peur de l'échec dans un univers compétitif, peur de ne pas être à la hauteur, de ne pas trouver de logement, de manquer de nourriture, ou d'amour, peur de tomber malade, de périr d'ennui, peur de s'ouvrir aux autres, de vieillir, de ne plus séduire, de voir s'en aller les êtres aimés, peur de la solitude, peur de devoir prendre sa retraite, ou de ne jamais la toucher, peur des couloirs du métro, peur du qu'en-dira-t-on, peur des ténèbres, peur des jeunes générations, peur du Diable, de l'envoûtement, de la « fatalité »... Peurs individuelles et collectives, peur du terrorisme, des trafiquants de drogue, de la délinquance, du sida, de la famine, de la pollution, peur de l'épée de Damoclès nucléaire, du trou de la couche d'ozone, des manipulations génétiques, peur de tout.

Chacun perçoit désormais de façon quasi physique le voile noir de cette angoisse omniprésente, face à la folie d'un monde dont les principaux moteurs sont la haine et la cupidité. Massacres, misère, corruption, crises et sinistres en tous genres constituent désormais le lot quotidien de nos médias, jusqu'à la nausée. Et voilà que resurgissent des spectres que l'on croyait oubliés... Dérapage vers l'hystérie collective, comme celle qui s'est emparée de l'ancienne Yougoslavie ou du Rwanda, demain de quel continent ?

Lorsque l'homme prend peur, son agressivité ne tarde pas à éclater. C'est le terreau sur lequel croissent avec la vivacité des mauvaises herbes les maux dont souffre actuellement l'humanité : le racisme, le nationalisme, le repli sur soi, la violence urbaine... Les autres pâtissent les premiers de notre inquiétude montante, tant celle-ci est prompte à s'inventer des boucs émissaires.

Portée aujourd'hui à une intensité sans précédent, la peur n'en constitue pas moins une de nos plus vieilles compagnes. Dans la Bible, n'apparaît-elle pas comme la conséquence immédiate de la chute d'Adam, qui se découvre nu et fragile après avoir mangé le fruit défendu ? D'une certaine façon, ce sentiment figure ce qui nous sépare de notre état pré-adamique, de ce Paradis dans lequel l'homme évoluait avant son involution dans la matière. Vaincre ce dragon intérieur devrait donc être le premier objectif d'un chemin de recherche visant à retrouver l'équilibre premier...

Et au lieu de cela, de quelle manière traitons-nous aujourd'hui l'ennemi ? Nous nous dérobons à lui, nous le fuyons, nous le nions au besoin, et par là même nous ne faisons que le renforcer. Le stress, c'est la peur inavouée, irraisonnée, qui se colle à nous et accroît son emprise. Nous passons notre temps à lutter contre un monstre que nous avons nous-mêmes créé : nous épuisons ainsi toute l'énergie que nous pourrions investir ailleurs, dans la vraie vie. Nous sommes semblables à Bucéphale, ce cheval rétif que l'on avait offert à Alexandre. Le roi de Macédoine n'a pas tardé à comprendre que l'animal avait tout simplement peur de son ombre. Comme le célèbre destrier, nous nous cabrons, et plus nous gesticulons plus notre ombre s'agite et redouble notre terreur. Pour interrompre le cercle vicieux, n'est-il pas temps de dire « halte ! », cesser de remuer en tous sens pour prendre enfin la mesure de la situation, et bien différencier la peur salutaire du stress tétanisant ?

La vie m'a très tôt exposé à la peur-sauvegarde, et par là même préservé du stress. Tout jeune enfant, dans l'Espagne déchirée par la guerre civile, j'ai connu le pilonnage meurtrier de Guernica. En 1939, à l'âge de cinq ans, après l'exécution de mon père par les franquistes, j'ai fui d'abri en abri avec ma mère, mes frère et sœur sur les routes des Pyrénées, à la merci des avions ennemis, bénissant le Ciel de nous avoir laissés rallier la France sains et saufs. Puis ce fut l'Occupation allemande, avec la menace permanente des délations – ma mère étant communiste – ou des exécutions sommaires. En Bretagne, chaque fois qu'un maquisard tuait un Allemand, dix civils étaient pris au hasard et fusillés. Quand les Allemands frappaient à la porte, le cœur battait à tout rompre, nous étions transis d'effroi. Peur immédiate, glandulaire, qui n'a rien à voir avec le stress imaginatif. Nous n'avions pas le loisir d'imaginer le pire, il était là, sous nos yeux, dans les cadavres affalés au pied d'un mur ou sur le bord de la route. Nous nous contentions de mettre à profit notre terreur pour mieux nous cacher, nous aider, nous sauver, nous réjouir. Mais oui ! Je me souviens de ma mère soupirant d'aise le matin :

CHASSER LES SERPENTS DU STRESS

– Nous sommes encore tous en vie aujourd'hui...

Cette phrase me paraissait hallucinante, mais c'était bien ce qui comptait : la joie d'être encore vivants. S'il n'y avait que trois pommes de terre à partager pour la journée, nous les savourions comme un festin miraculeux. Le danger réel, abrupt, immédiat décuplait notre bonheur d'exister.

Depuis, chaque jour qui passe est pour moi une bénédiction. Le stress moderne ne m'a donc jamais touché. Je l'ai découvert avec étonnement chez des contemporains plus jeunes que moi qui, n'ayant pas vécu la guerre, se sont complus dans le mal de vivre, le sentiment d'être incompris ou de ne pas trouver leur place dans la société. Un stress de luxe, en somme, réservé à ceux qui, dans le confort et les illusions des années 50-70, pouvaient s'amuser à se fabriquer des souffrances. Aujourd'hui, les temps ont changé. Le stress témoigne de certaines craintes bien réelles, et tout le monde en est atteint.

Il n'en reste pas moins que cet avatar moderne de la peur ne nous permettra jamais de résoudre nos problèmes, individuels ou collectifs. Révélateur, le graphisme de ce mot anglais contient trois « s » menaçants. Le stress, ce sont tous « ces serpents qui sifflent sur nos têtes », l'émanation de notre négativité. C'est la pire des pollutions car elle est invisible, aussi ne pensons-nous pas à en venir à bout. La « bonne peur », elle, fait réagir. Si un travailleur a peur de perdre son emploi, ce qui est assez normal à notre époque, il va tenter d'améliorer son rendement, ou chercher des solutions de dépannage en cas de licenciement. S'il nourrit, en revanche, l'obsession *stressante* du chômage, il va travailler de plus en plus mal, devenir agressif, se mettre professionnellement en péril et se révéler incapable d'envisager des remèdes à son éventuelle inoccupation. Le stress paralyse, tétanise, ou alors il nous plonge dans une activité brouillonne, et donc condamnée à l'inefficacité, à moins qu'elle n'aggrave encore la situation.

La peur nous avertit, le stress nous menace de façon inutile. Certains lecteurs m'ont dit que *la Fin des Temps* leur avait fait peur. Mais c'était voulu ! Seulement qu'on ne se méprenne pas : en soulignant la correspondance entre les textes apocalyptiques de toutes les religions et les constats de nos scientifiques contemporains décrivant un monde en train de s'autodétruire, je ne cherchais pas à jouer les oiseaux de malheur, mais à nous « alerter », dans le but de nous faire réagir. Tout au long de ce siècle (même si le mal remonte plus loin), sans la moindre considération pour les générations futures – ces grandes muettes –, nous avons saccagé notre planète, sacrifié notre vie quotidienne au Veau d'or, au progrès mal compris, à la facilité, à l'accumulation de gadgets où nous perdions notre âme : comment nous étonner si nous nous éveillons soudain terrifiés à l'idée que notre aveuglement a scié la branche sur laquelle nous étions assis ? Il s'agissait donc pour moi d'accélérer cette prise de conscience et de démontrer l'urgence d'une modification radicale de notre comportement si nous voulons vaincre les dangers qui nous menacent. Cette peur-là n'est pas une vulgaire pusillanimité, mais une réaction de respect pour l'avenir de l'espèce humaine. N'oublions jamais que le sonneur d'alarme n'a d'autre ambition que de détourner – de *prévenir* – la catastrophe qu'il annonce. Quitte à courir le « risque », s'il réussit, de voir ses mises en garde détrompées par la suite des événements. Et ce désaveu, sachez-le, a toujours été mon souhait le plus cher...

Seulement pour que ce désaveu survienne, et triomphe, il ne va pas falloir nous cantonner dans une expectative épouvantée. Il va falloir agir, d'abord sur nous-mêmes et sur notre existence, laquelle, d'ailleurs, s'en trouvera aussitôt embellie. Alléger son karma n'implique pas de souffrir avec délectation de mille maux, réels, imaginaires ou inconsciemment provoqués. Le sage n'est jamais masochiste, ni contraint, encore moins stressé. Et pour se libérer des serpents du stress, première démarche vers un mieux-être et une pleine réalisation de soi, il convient de commencer par en mesurer les dégâts, et en trouver les causes.

Finalement, de nos jours, l'homme a autant peur de vivre que de mourir. Tel un boa constrictor, le stress étouffe notre pulsion de vie, il nous phagocyte et fait régner sur notre faible volonté un sentiment d'impuissance que tout vient entretenir.

Face à la montée des périls, ne voit-on pas aujourd'hui que c'est ce sentiment d'impuissance qui prédomine ? Cela se vérifie non seulement à l'échelle des individus, mais aussi des nations. Chacun sent la nécessité d'entreprendre une action correctrice, mais on ne sait par quel bout commencer, la tâche semble insurmontable. Au fond, on en reste à la fameuse logique de l'inertie : on attend que les autres commencent, en sachant bien que personne ne lèvera le petit doigt et que donc on ne fera rien. Et puis que faire ? On ne comprend plus ce qui se passe, les liaisons logiques entre les événements se perdent, les sources d'information se mêlent, se brouillent et se contredisent à l'envi. Où sont les causes, où sont les effets ? Face au même événement, nous croulons sous les interprétations, l'excès d'angles de vue nous empêche d'y voir clair.

En fait, l'homme moderne a perdu le sens d'une unité dans le monde. Toute la civilisation occidentale a abouti à une fragmentation extrême de notre univers mental. On a commencé par rendre à César ce qui lui appartenait. Puis la philosophie, la science ont réclamé leur indépendance. Peu à peu, le savoir s'est parcellisé en d'innombrables disciplines, économiques, sociales, scientifiques, culturelles. Disciplines éclatées en myriades de sous-sections qui, pour revendiquer un statut propre, prennent le plus grand soin de dresser des barrières infranchissables entre elles. La modernité a mis l'accent sur la complexité du monde. On aurait pu s'en émerveiller, car cette variété inépuisable est le reflet de l'infini du Cosmos. Mais en se noyant dans le détail, l'homme moderne s'est coupé de la globalité primordiale. Et dans cette appréhension de l'Univers ainsi dynamitée, il n'éprouverait pas de stress ?

Cette fragmentation, notre civilisation technique l'a imposée aussi au monde du travail; de plus en plus spécialisés dans des tâches de plus en plus frustrantes, les gens perdent le sens d'une certaine finalité, et par là même de leurs responsabilités : et ils garderaient du goût pour leur ouvrage ? Notre existence quotidienne éclate en compartiments séparés, nous avons le plus grand mal à recoller les morceaux, exigences professionnelles, vie amoureuse et familiale, loisirs, aspirations spirituelles : et nous nous sentirions en harmonie ? La seule unité envisagée à notre époque n'est qu'une abominable réduction, l'être humain devient l'*Homo Economicus*, limité donc à sa seule dimension économique, abstraction faite de sa spiritualité : et nous voudrions, en plus, être heureux ?

Quelle ironie, quelle ruse de l'Histoire que ce sentiment d'impuissance et d'incompréhension qui nous saisit aujourd'hui ! Nous qui pendant des siècles avons caressé le rêve de la toute-puissance sur la matière... Car c'est avec les meilleures intentions du monde que des crimes ont été commis contre la nature humaine. Dans les années 50, les experts de la prospective claironnaient que l'homme de demain allait vivre dans un pays de cocagne créé par la machine. Par l'automation des moyens de production, il allait se libérer d'un travail dégradant et vivre heureux dans l'abondance

connaissance et les loisirs. Utopie
que ces élucubrations mécanistes, mais
aussi erreurs coupables, car elles ont contribué à
endormir notre vigilance. La prospective avait
oublié ce que les récits de science-fiction des
années 30 avaient pourtant déjà entrevu: la
machine triomphante finissait par évincer l'homme,
qui se retrouvait sans travail, déclassé, et même
délesté de son pouvoir d'intervention.

Nous avions pourtant inventé une merveilleuse
justification à notre appétit de jouissance et à nos
instincts de prédateurs. Dieu Lui-même n'avait-Il
pas laissé la Terre à notre domination? Nous
avions liberté de la soumettre. Oui, mais c'était
pour la faire fructifier, non pour la dégrader. Bien
sûr, certains pays ont vu s'accroître de façon consi-
dérable leur niveau de vie et leur confort matériel,
mais au prix d'une exploitation inconsidérée des
richesses communes de la planète, au prix d'un
gaspillage exorbitant et d'un appauvrissement dramatique d'une immense partie de l'humanité, en
butte à la misère et la famine pour que les autres
fassent ripaille. Seulement les nantis commencent
à se rendre compte que dans ce monde-village où
tout est lié, ils se sont exposés à un terrible coup de
fouet en retour. En fait de progrès, les innovations
technologiques ont réalisé l'exploit de saigner à
blanc en l'espace d'un siècle une planète vieille de
plusieurs milliards d'années !

Or que fait l'être humain de la fin du deuxième
millénaire pour réparer ses erreurs ? Il avale à lon-

gueur de temps les scoops terrifiants des catastrophes qu'a engendrées son manque de prévoyance. Et il achève de se décourager.

Car du ventre enflé de la technologie sont sorties les deux premières Bêtes de l'Apocalypse, la radio et la télévision. J'ai expliqué dans *Trajectoire* et dans *la Fin des Temps* comment ces deux moyens de communication extraordinaires, au potentiel fabuleux, ont été pervertis et mis au service de l'avilissement des âmes. Le 666, chiffre de la Bête dans l'Apocalypse de saint Jean, fut, ne l'oublions pas, la fréquence de la première radio ondes courtes aux États-Unis. Quant à la télévision, elle est cette Bête qui « *a le pouvoir d'animer l'image pour la faire parler* », nous dit Jean.

Les médias figurent aujourd'hui les meilleurs chiens de garde et les plus belles sirènes du culte du Veau d'or. Contrôle des populations manipulées par une information plus ou moins impartiale, mesmérisées par des divertissements abrutissants, analysées à coups de sondages et d'audimats. Perfectionnement inouï d'un conditionnement hier assuré par les lourdes institutions que sont l'école, l'armée ou l'Église, et qui s'effectue désormais de manière beaucoup plus subtile grâce au développement de tout un matériel informatique et technologique. Plus subtile et bien plus efficace : autrefois, l'homme échappait encore au contrôle pendant son temps libre – il est vrai réduit. Aujourd'hui, l'homme accède de plus en plus aux loisirs, mais ceux-ci sont complètement pris en charge, quadrillés par le vaste domaine des services : voyages organisés, attractions parquées, jeux vidéo solitaires... Jamais d'ailleurs il ne trouve là de véritables joies, mais un simple divertissement au sens pascalien du terme. Comment ne pas s'effrayer de voir l'humanité abdiquer et plonger avec une telle frénésie dans l'oubli ?

C'en est au point que le monde décrit par George Orwell dans son classique *1984* nous apparaît comme doux et un peu désuet comparé à cet enfer de surveillance électronique et mentale dont nous sommes les objets. On calcule par exemple qu'un enfant de douze ans a déjà ingurgité une centaine de milliers de messages publicitaires. Petit à petit, sournoisement, sans violence apparente, ces messages lui imposent une vision du monde, fixent ses futurs critères du vrai, du bien, et du beau. Pseudo-critères qui reposent en fait sur une étude approfondie de nos instincts les plus bas : désir de domination, égoïsme, appétits sexuels... Car évidemment tout cela est concerté, rien n'est laissé au hasard : des cohortes d'experts de tout poil, statisticiens, sociologues, psychanalystes, linguistes, ethnologues, passent à la loupe nos comportements dans le seul but d'exploiter notre vulnérabilité. Ils disposent par exemple d'appareils capables de discerner avec précision l'endroit où le regard se pose en premier lorsqu'il appréhende une affiche publicitaire ou un rayonnage de supermarché. Cachés derrière les glaces sans tain de nos lieux de consommation, ou relayés par des caméras couplées aux postes de télévision, les experts traquent nos faiblesses, décortiquent nos désirs pour mieux nous influencer par la suite. Déjà, aux États-Unis, un gadget associe la télécommande de la télévision avec la carte de crédit. L'homme n'existe plus : il n'est qu'usager ou consommateur. L'image s'est animée, et nous voilà marqués, au front et à la main, du signe de la Bête.

Seulement, hurler haro sur les médias ne sert pas à grand-chose, car la vraie cause de notre conditionnement... c'est que nous nous laissons conditionner ! Nous avons perdu non seulement le sens de l'unité du monde, mais celui de notre propre moi. Ainsi Dieu, dans Sa miséricorde, nous aurait accordé un libre arbitre, et nous nous laisserions manipuler par un tube cathodique ? Par le matraquage publicitaire qui nous incite à correspondre, coûte que coûte, à une image modèle, stéréotypée ? Il faut apprendre à nous recentrer, à refaire connaissance avec notre réalité profonde, à ne plus subir tout et n'importe quoi. Car le dédoublement tragique entre l'individu « social » et son être propre est aussi source de stress. Objets-cultes, match-cérémonie, vedettes-idoles, obligation d'avoir lu tel livre à scandale, d'acheter tel objet dernier cri, d'afficher telle opinion en vogue : ce n'est plus du snobisme, mais du panurgisme planétaire ! En ce qui me concerne, j'ai assez prôné l'anticonformisme dans la haute couture pour ne plus avoir à en faire l'apologie. Vous n'êtes pas obligés d'aller jusqu'à la provocation systématique, mais sachez qu'imiter les autres n'est pas un moyen de diluer son stress personnel : c'est toujours abdiquer sa liberté. Quelqu'un disait joliment que s'acharner à être dans le vent, c'était se vouloir un destin de feuille morte. Ne pas confondre notre désir spirituel de fusion avec le Tout et ce ridicule instinct grégaire. Et n'oublions pas qu'à force de singer la majorité, nous finissons par devenir le contraire de ce que nous sommes : cette perte d'identité est de toute évidence une source terrible de mal-être.

Nous devons à tout prix nous retrouver, nous calmer, éviter l'éparpillement, échapper à la folie de l'accélération, au « toujours plus » et « c'est nouveau, ça vient de sortir ». Les modes surgissent et disparaissent à un rythme effréné. Nous n'aimons plus, nous avons des toquades, pour brûler aussitôt nos idoles. Boulimie de plaisirs, ou incapacité de tromper un ennui profond qui viendrait de notre vide spirituel ?

Sachons aussi que nous plaindre sans arrêt ne sert à rien et ne saurait apaiser notre peur viscérale. La plainte de l'homme moderne fait désormais écho aux lamentations de Job : « *Pour toute nourriture, j'ai mes soupirs, comme l'eau s'épanchent mes rugissements... Ni tranquillité ni paix pour moi, et mes tourments chassent le repos.* » Néanmoins, c'est à Dieu que Job s'adressait ! La Divinité reste le seul interlocuteur valable en matière de déboires. Se répandre en critiques parmi ses contemporains n'a rien de positif. « Le pire, disait Alain, c'est que cette maladie se gagne comme un choléra des esprits... Ainsi la jérémiade s'établit comme un dogme et fait bientôt partie de la politesse. » Tant il est vrai que le stress ne tient pas seulement aux circonstances extérieures. Nous le sécrétons nous-mêmes, nous l'entretenons, nous participons à sa propagation, comme si la grogne était devenue le seul moyen de parler aux autres...

Ne nous y trompons pas, en effet : cette époque de « communication » est une époque où l'on ne communique plus ! Nous évitons les contacts oculaires, sourire à un inconnu nous paraît inconvenant, voire dangereux, nous adoptons des postures défensives, nous arpentons d'un pas pressé les rues et les galeries marchandes, croisant parfois, malgré nos œillères, le regard interrogateur d'un autre nous-même ou celui, éperdu, d'un laissé-pour-compte qui nous culpabilise et nous donne envie de fuir. Nous rencontrons les gens sans vraiment les accueillir, sans leur offrir toute notre attention, restée prisonnière de nos tracas égocentriques. Par nos vêtements, nos divertissements, nos marottes, nous nous fondons dans le troupeau mais, paradoxalement, cela ne nous inspire pas le moindre sentiment de similitude, encore moins de fraternité. Dans le chemin que ce livre propose à travers la voix des grands Initiés, il conviendra aussi d'effacer la peur de l'Autre, de nous resituer par rapport à l'humanité tout entière, et de savoir nous servir de l'Amour. Sinon nous n'aurons pour issue que « l'ultramoderne solitude », qui n'est pas une solution, il s'en faut.

Car, autre paradoxe, l'homme moderne, qui redoute tant de se singulariser, copie les autres mais s'en méfie. Beaucoup s'imaginent se défendre du stress en se repliant sur eux-mêmes. Et de la pire manière. Ils pourraient, en solitaires, retrouver dans la Nature l'harmonie avec les vibrations cosmiques, prendre conscience de leur correspondance avec la Création, et du même coup comprendre que leurs congénères, autres créatures du Divin, peuvent figurer pour eux un miroir, une salutaire analyse, une aide bienvenue. Il leur faudrait, également, se ressourcer ainsi. Et nous verrons plus loin quelles possibilités fantastiques sont, à cet égard, mises à notre disposition.

Au lieu de cela, beaucoup choisissent de se claquemurer, sans la moindre activité créatrice. Peindre, broder, bricoler, menuiser ? Non, ils préfèrent guérir le stress par le stress : voir les ravages des jeux vidéo, qui « augmentent » les réflexes, peut-être, mais dans une telle atmosphère de violence et d'effroi que les plus « accros » avouent mettre deux heures ensuite à s'endormir tant ils sont sur les nerfs. Quand on sait que le stress « habituel » provoque déjà l'augmentation de la pression artérielle, l'accélération du rythme respiratoire et cardiaque, des tensions musculaires, des affections cutanées, et entraîne une plus grande vulnérabilité aux maladies infectieuses, on s'étonne que certains en redemandent. Ne le laissons pas devenir une drogue, car la drogue, c'est la fuite. Il est grand temps de reprendre en main l'utilisation du progrès.

**
*

Il n'est pas question, évidemment, de regretter l'homme du Neandertal ni de rejeter en bloc les innovations dues à notre génie, mais de faire en sorte que la « machina sapiens » ne débouche pas sur l'expulsion progressive de la ressource humaine. Demain, nous le savons, les machines ne se contenteront pas de calculer plus vite que l'esprit humain, mais seront animées de leur propre raisonnement, de leur propre mode de pensée. Elles pourront rendre, certes, de fabuleux services à la science, mais à condition que l'homme garde la maîtrise de ses outils, pour le bien de l'humanité.

Or il ne gardera cette maîtrise que s'il reprend pleinement conscience de la signification de sa vie, et de son essence divine. Un être divin se soumet-il à un robot ? Encore une fois nous avons le choix : ou nous utilisons le progrès pour un mieux-être général, ou nous cédons à la facilité abrutissante qu'il peut aussi nous procurer. Satan veille à cette seconde perversion. Satan – dont nous aurons l'occasion de reparler dans ces pages – refuse le passage au Quatrième Plan vibratoire, là où les Écritures affirment qu'il sera enchaîné mille ans. Aussi use-t-il de tous ses charmes, excitant la créativité humaine, mais détournant ses effets. À cause de lui, le développement de l'informatique va permettre à une troisième Bête, d'une efficacité implacable, de supplanter bientôt la radio et la télévision. Lors d'un récent voyage aux États-Unis, j'ai eu l'occasion d'approcher cette nouvelle invention grâce à laquelle l'opérateur – vous, demain ? – se trouve projeté dans un monde tridimensionnel, entièrement imaginaire. C'est « comme s'il y était », à cette nuance près que tout cela est un leurre. Alors, de même qu'on peut profiter utilement des bonnes émissions de télévision, on pourra se servir de cette invention à des fins salutaires : les chirurgiens pourront « répéter » leurs opérations sans causer de dommages *in vivo*, les étudiants feront leurs travaux pratiques sur écran, ou se perfectionneront au tennis. Mais hélas, l'acteur-spectateur pourra également s'abîmer dans des jeux et programmes qui lui donneront une impression de toute-puissance... tant que durera l'expérience. « Vous serez comme des dieux », soufflait le serpent satanique à Adam et Ève pour les inciter à manger le fruit défendu et les entraîner dans la chute. Grâce aux images virtuelles qui s'imprimeront sur sa rétine, l'homme de demain pourra recréer son univers, sentir les objets, avoir l'impression de les toucher, halluciner totalement. Déjà à Los Angeles circulent des jeux pornographiques où les amants en manque vivent ainsi « en direct » leurs fantasmes, avec des fantômes informatiques. Demain, face à sa console, on ira à Venise, on décidera d'entrer dans tel palais, plus besoin de voyages. Qui pourra résister ? Les humains vont s'enfermer chez eux et s'offrir à bon prix du tourisme et des sensations fortes : sexe, violence, et encore la peur... Dans ces jeux à trois dimensions, on jouera sa vie au lieu de la vivre, on n'aura plus aucune personnalité.

Nul besoin d'être devin pour comprendre qu'en pareil cas, au retour de ses « voyages », le mutant du virtuel va nécessairement souffrir de la réalité. Il va se sentir accablé par une sensation d'insignifiance, et se révélera incapable de gérer ses rapports avec les autres – jamais réductibles, eux, à des créatures vidéo. Il n'aura donc de cesse de replonger dans le virtuel et l'on assistera dès lors à une sorte de décomposition psychologique : tout le potentiel contenu dans cet être humain va se trouver absorbé dans l'inexistant.

Va-t-il ainsi achever le cycle de son autodestruction ? Scindé en deux (mâle et femelle) au moment de son involution sur Terre, puis prisonnier d'une pensée dualiste (rationnel/irrationnel), haché menu par les découpages du savoir, rendu schizophrène par une société normative, évacué par la technologie, enfin happé par l'irréel, va-t-il devenir la proie de dictateurs diaboliques qui sauront profiter de sa perte d'identité, sa défaite culminant peut-être dans les dérives de la génétique et de l'eugénisme, qui vont pouvoir intervenir avant même sa naissance, déterminer sa viabilité, son utilité, son obéissance ?

Je ne le crois pas. Je pense qu'en pareille occurrence il y aura une réaction extrêmement violente de l'au-delà. Je ne crois pas que cette Pensée colossale qui a créé l'homme, le Cosmos et les lois qui le régissent laisse faire un tel scandale – au sens étymologique de piège sur lequel on trébuche.

Mais sachons-le bien, cette « réaction violente » du Ciel peut aboutir à la disparition de la Terre et des êtres humains. Alors, ne vaut-il pas mieux freiner nous-mêmes dans nos dérapages ? Éviter les pièges sataniques, l'« esprit de contrefaçon » évoqué par les traditions anciennes, qui nous fait inverser les valeurs ? « *Vous riez et vous vous réjouissez dans les rires de la folie,* nous dit le Livre de Thomas. *Vous ne comprenez pas que vous êtes dans les ténèbres et la mort. Les ténè-*

bres vous sont apparues comme si elles étaient la lumière. »

Ne le subodorons-nous pas quand au milieu de notre agitation, dans un moment de répit solitaire ou au cœur d'une foule qui nous renvoie à notre propre image, un éclair soudain nous traverse, une question qui nous hante comme un souvenir ancien : « Est-ce là la vraie vie ? Qui suis-je vraiment ? Où est-ce que je cours ainsi comme un fou ? »

Dans *l'Hymne à la Perle*, le christianisme des origines racontait l'histoire d'un prince envoyé en Égypte à la recherche d'une perle fabuleuse. En route, le prince oublie sa mission, succombe aux attraits de la matérialité, et sombre dès lors dans une vie passive et routinière. Un jour, pourtant, un ange vient le visiter pour lui dire : « Réveille-toi et lève-toi de ton sommeil. Souviens-toi que tu es fils de roi, prends conscience de ton esclavage et du maître auquel tu es asservi. Souviens-toi de la perle pour laquelle tu t'es rendu en Égypte... »

Cet ange symbolique, c'est le double lumineux du prince, qui l'aide à vaincre sa torpeur. Soyons nous aussi attentifs à cette part spirituelle qui ne demande qu'à grandir en nous. Laissons-nous guider par elle pour retrouver le sens de notre existence, et par là même du Temps présent.

Ce qui nous fait le plus défaut pour mener à bien ce réveil de notre conscience, ce sont des guides authentiques, et de vrais repères. Car les serpents du stress se sont nourris de la grande défaite des idéologies et des valeurs, à laquelle nous assistons depuis quelques décennies. Le communisme a fait preuve de son ingérabilité, tandis que le capitalisme triomphant apparaît de plus en plus comme le moteur de la dynamique fatale du monde actuel. Le projet salvateur, celui qui permettra de réconcilier le destin de l'homme et de la Nature, ne viendra donc pas de là.

Il fut des temps immémoriaux où la vie de la cité était entre les mains des « adeptes », ou des « rois-prêtres », c'est-à-dire des hommes qui mettaient leur action au service d'une vérité supérieure et du bien commun, et qui pouvaient par leur connaissance ésotérique relier la Terre et le Ciel. Aujourd'hui, les hommes politiques, à l'image de leurs concitoyens, idolâtrent davantage l'argent ou le pouvoir. Empêtrés dans de vaines dissensions, beaucoup ne songent plus qu'à satisfaire des ambitions personnelles, sombrant pour certains dans la corruption, tandis que les plus éclairés s'arrêtent à la défense du territoire national. Malgré ce qu'ils prétendent, ils ne tiennent plus les rênes : ils se perdent en gesticulations, promesses démagogiques, myopie politique, quand ce n'est pas exaltation raciste ou appels à la violence ethnique. Dans ce monde en proie au désarroi, nos dirigeants nous apparaissent désormais d'un bien maigre secours, et ce stress démissionnaire des hautes sphères de la société se répand en ondes négatives sur la population, accroissant le désenchantement. À cette faillite du politique, il faudrait ajouter le pourrissement dont se rendent coupables certains spéculateurs boursiers et fonciers, les profiteurs de guerre et de misère, les trafiquants de drogue, et tous ceux qui mettent à sac notre planète... Il y a de quoi en « être malade » et d'ailleurs beaucoup le sont, qui espèrent trouver l'apaisement de leur stress chez le médecin. Celui-ci découvre non sans une certaine panique qu'on l'a laissé seul en première ligne. Le voilà devant la tâche écrasante de répondre au malaise de toute une société. Débordé, il ne peut que contenir l'ennemi en prescrivant presque systématiquement antidépresseurs ou anxiolytiques.

Mais les médecins ne peuvent traiter que les symptômes, sans résoudre le problème de fond, qui sort du champ médical. Ils soulagent, mais ne sauraient guérir, véritablement, la souffrance morale. Où sont les hommes de bien qui pourraient nous conduire à travers le labyrinthe terrifiant de nos appréhensions ?

En fait d'hommes de bien – nous sommes si naïfs, et si pressés de trouver des remèdes à l'emporte-pièce –, nous trouvons surtout beaucoup d'hommes de mal. Les exploiteurs de notre déréliction se bousculent à nos portes. C'est la curée des charlatans, des tentateurs et faux prophètes. On se raccroche à ce qu'on peut : la drogue, les pilules euphorisantes, les psychothérapies les plus farfelues, les voyants, les sectes transformées en multinationales à but lucratif. Les paradis artificiels ne manquent pas, partout on nous propose des recettes de bonheur, comme hier l'Église vendait des indulgences pour accéder au Royaume des Cieux. Quel salut pouvons-nous espérer de ces faux-fuyants ? « *Si un aveugle guide un autre aveugle, tous deux tombent dans le trou* », dit l'adage biblique.

La prolifération de ces fausses chapelles provient évidemment, en majeure partie, de la crise que subissent les religions. N'est-ce pas la religion qui jusqu'à présent se chargeait, en quelque sorte, d'exorciser nos peurs ? Aujourd'hui, elle ne remplit plus cet office. Elle a même poussé ici et là le comble du dévoiement jusqu'à répandre elle-même la crainte et le fanatisme, pour mieux maintenir le peuple sous son joug. Quant au christianisme, je rappelais dans *la Fin des Temps* que toutes les religions sont, à l'image des civilisations, soumises à des cycles. Au bout de deux millénaires environ, elles sont amenées à se fossiliser : les historiens en ont fait le constat. Après le culte du taureau Apis, puis celui du Bélier, nous voici au terme de l'ère des Poissons, symbole du christianisme. Sous sa forme actuelle (je dis bien sous cette forme), la religion chrétienne ne peut plus nous apporter de réponses pour la bonne raison qu'elle n'en détient plus.

Face à la désaffection dont elle s'est elle-même rendue victime, l'Église ne sait plus comment réagir. Depuis longtemps déjà, on la voit balancer entre les raidissements grotesques, comme cette injure au bon sens que constitue le dogme de l'infaillibilité papale, et les concessions ignobles à la haine ambiante. Le pape actuel n'a-t-il pas reconnu que la peine de mort pouvait se justifier

« dans certains cas », enfreignant ainsi le commandement inflexible « tu ne tueras point » ? Incapable de se renouveler, corrompue par les affaires, par l'intolérance et par le goût du trône, l'Église s'apprête à sombrer corps et biens. « *Quel est parmi vous le survivant qui a vu ce Temple dans sa gloire passée ?* interroge le prophète Aggée dans l'Ancien Testament. *Et comment le voyez-vous maintenant ? À vos yeux n'est-il pas pareil à un rien ?* »

Comment l'Église en est-elle arrivée là ? De conciles en encycliques, de querelles théologiques en compromissions impérialistes, elle a progressivement mais définitivement perdu le contact avec l'Esprit, le pouvoir de la vraie Parole. L'Évangile de Luc (XI, 52) mettait ainsi en garde les représentants de la hiérarchie ecclésiastique : « *Malheur à vous, docteurs de la loi, parce que vous avez enlevé la clef de la science ; vous n'êtes pas entrés, et vous avez empêché ceux qui entraient.* » À l'aube des temps, en effet, Dieu S'est présenté aux hommes dans toute Sa gloire. Ceux qui ont conservé en eux la connaissance de cette manifestation ont reçu l'appellation de maîtres, de sages, de prêtres. Mais les hommes peu à peu oublièrent la Parole, et les révélations qu'elle recelait leur devinrent obscures. Un lent processus de dégradation s'est accompli : le message divin a subi des erreurs d'interprétation, puis des falsifications, pour finalement se scléroser dans la routine. Vidés de leur sens, les versets bibliques deviennent lettre morte, les sacrements, les rites chrétiens ne sont plus que des gestes mécaniques. Les rares personnes qui vont encore à la messe se plient, la plupart du temps, à un vague rituel dont elles ne perçoivent plus la portée. Elles se rendent à l'église en troupeau aveugle et repartent inchangées, avec le sentiment du devoir accompli, négligeant de cultiver ce levain dont on a mis les germes en elles.

Ailleurs, les « fous de Dieu » sont devenus des fanatiques sanguinaires, alors qu'à l'origine ceux qu'on appelait ainsi étaient de grands Initiés, dont la folie ne représentait qu'une connaissance élargie échappant au commun des mortels, et une aspiration au confondement.

Un peu partout, de surcroît, on prend le mysticisme pour un délire de l'imagination, alors qu'il est partie intégrante de notre destinée, un désir ardent qui nous élève vers le Divin. Or c'est pour avoir oublié la présence divine dans le monde que nous sommes saisis par la peur. La réalité de notre existence terrestre, cessant d'être à nos yeux la manifestation de la Divinité, apparaît opaque, indéchiffrable, forcément inquiétante. Quand retrouverons-nous l'apaisement du célèbre verset (Psaume 23) : « *Passerais-je un ravin de ténèbre, je ne crains aucun mal car Tu es près de moi* » ?

Il nous faudrait redécouvrir la clef perdue, et d'abord le chemin qui mène à la porte étroite. Nombreux sont ceux qui en ressentent l'urgente nécessité. Car malgré tous les lavages de cerveau, l'homme se posera toujours les mêmes questions existentielles, ne serait-ce que pour résoudre ici-bas ses difficultés d'existence. Quand ces questions vont devenir lancinantes, il va commencer sa quête, d'abord en secret. J'ai vu ainsi des gens qui entrent timidement dans les librairies ésotériques, frôlant les murs, espérant que personne ne les a vus pénétrer dans ces lieux souvent considérés comme des pièges à gogo. Car dans la conjoncture actuelle, la recherche spirituelle fait sourire autant qu'elle inquiète, comme si l'on pressentait qu'elle est porteuse d'une extraordinaire force de contestation. Le rationalisme continue de se parer des vertus d'un comportement « raisonnable », faisant passer pour immatures ceux qui admettent la possibilité de ne pas tout comprendre. N'en tenez pas compte : c'est une affaire de santé. Carl Jung, déjà, insistait sur la multiplication des « névroses causées par le fait que certains veulent rester aveugles à leurs propres aspirations religieuses, par suite d'une passion infantile pour les lumières de la raison ». L'immaturité, vous le voyez, n'est peut-être pas celle que l'on croit.

Cependant, même si vous avez décidé d'entreprendre le chemin, ne vous trompez pas de route. La recherche spirituelle n'est pas une expérience passive où l'on se contenterait d'attendre que la grâce nous tombe des cieux et nous sauve de nos angoisses. Elle suppose une véritable démarche, pas à pas, elle commande certains comportements, voire des batailles. Mais rassurez-vous, ce n'est pas « difficile » : la seule difficulté réside dans l'acceptation de la... simplicité. Un premier exemple en fait foi. Tout cet itinéraire, qui doit aboutir à la naissance de l'homme nouveau, se trouve détaillé dans les textes sacrés, le plus clairement du monde. Or depuis trop longtemps, nous considérons ces Textes comme des monuments historiques imposants et académiques. Nous croyons qu'ils nous parlent d'un passé mythique, ou d'un au-delà inaccessible, d'un autre monde sans rapport avec celui dans lequel nous sommes obligés de vivre, et de nous dépatouiller. Nous les croyons abstraits, poussiéreux, alors qu'ils ont tout pour nous accompagner sur le chemin. Ils sont « la Voie et la Vertu », c'est-à-dire qu'ils possèdent une efficacité pratique, pour nous aider à vivre bien tout en nous élevant vers Dieu. Ils sont doués d'un véritable pouvoir « transformant ». La quête n'est jamais linéaire et plate. Lorsque nous suivons la Voie, jour après jour, et dans nos occupations les plus « terre à terre », une transformation s'opère, insensiblement, qui finit par modifier notre regard sur le monde et sur les autres tout en nous libérant du malheur.

Découvrons donc, ou redécouvrons, les vertus éducatives de ces Textes. Retrouvons l'esprit de la Bible, « *Viens des quatre vents, esprit, souffle sur ces morts, et qu'ils vivent !* » s'exclame Ézéchiel (XXXVII, 9). Relisons les Évangiles à la lumière des Initiés, c'est-à-dire non de ceux qui « savent », mais de ceux qui ont entrepris le chemin, en toute humilité, en toute fraîcheur, afin de vivre mieux. « *Ce que je vous dis est esprit de vie* », dit Jean. Savourons les conseils et les paradoxes édifiants des bouddhistes ou adeptes du zen. Éclairons-nous à la lumière des soufis musulmans, qui ravivent notre espérance. Ne cherchons pas tout de suite la grande révélation. Elle viendra peu à peu, d'elle-même.

LE TEMPS PRÉSENT

Les dimensions spirituelles des Textes se dévoilent à l'initié au fur et à mesure de sa quête. Au début, contentons-nous de la pratique, voire « du » pratique. On lit dans le Coran, sourate VI, verset 48 : « *Quiconque croit et pratique la vertu sera à l'abri de toute crainte.* » Il ne s'agit pas là, bien sûr, d'une vertu pudibonde de grenouille de bénitier mais du terme au sens propre : énergie morale, force d'âme.

Si chaque lecture des Textes nous amène à un degré de compréhension supérieur, ceux-ci nous incitent d'abord à l'action sur soi. Que les psaumes, poèmes, sourates, paraboles, pensées ou cantiques nous séduisent par leur beauté ou leur puissance allégorique ne doit pas nous faire oublier qu'ils contiennent dans un premier temps la méthode pour vaincre la peur et le mal, chez nous et chez les autres.

Tant il est vrai que tout le travail que nous ferons sur nous-mêmes rejaillira en bien sur l'ensemble du monde, et sur le stress généralisé. Louis-Claude de Saint-Martin, dit le « philosophe inconnu », écrivait dans *le Ministère de l'homme-esprit* : « *L'Univers est sur son lit de mort, c'est à toi de lui rendre les derniers devoirs. C'est à toi de le réconcilier avec cette source pure dont il descend, en le purgeant de toutes les substances de mensonge dont il ne cesse de s'imprégner depuis la Chute, et de le laver d'avoir passé tous ses jours dans la vanité.* »

Jusqu'à présent, nous n'avons exercé que notre force destructrice, sur les autres mais aussi sur nous. Si nous tentions de prendre conscience de notre force transformatrice, capable de nous réintégrer dans l'harmonie de l'Univers ?

CHAPITRE DEUXIÈME

POUR APAISER LE JEU, CALMER LE « JE »

L'homme agité fait s'esclaffer les anges.

Shakespeare

Lorsqu'on prend la mesure du stress formidable qui étreint l'homme moderne, il est difficile de ne pas s'épouvanter face à l'énormité de la tâche qui consiste à terrasser ces dangereux serpents. Quelle stratégie allons-nous déployer? Quelles armes devons-nous choisir? Exposés au vaste complot des agressions extérieures et de nos peurs intimes, objets permanents de leur action érosive, nous avons peu à peu perdu le lien direct qui nous unissait à notre être, mais aussi à la Nature et à Dieu. Nous vivons désormais en constant décalage, nous «marchons à côté de nos pompes». Cette expression un peu triviale revêt pour moi une signification particulière: je ressens ce dédoublement autour de moi. Je le «vois», même! Les êtres humains sont en effet normalement entourés d'une aura plus ou moins lumineuse selon leur développement spirituel, une sorte de corps éthéré qui nimbe leur corps physique. Un don naturel, soutenu par une attention aiguisée, me rend perceptif à ces enveloppes subtiles. Or je constate tous les jours, en rencontrant les gens, que leur aura s'est déplacée vers la gauche, signe patent de cet «excentrage». L'homme a été « distrait » du vrai chemin, au sens fort de «tiré au-dehors». Aujourd'hui, il «déraille». Pour corriger cet écart de conduite aux funestes conséquences, il va falloir d'abord réintégrer peu à peu notre espace intérieur. Étape indispensable : commencer par nous retrouver. Comment en effet agir sur notre être s'il nous demeure insaisissable ? Comment ensuite espérer changer le monde si nous ne sommes pas maîtres de nous-mêmes ? Essayons de nous centrer avant de chercher l'harmonie avec notre environnement, avec les autres, avec la Divinité enfin. Pour accéder à l'Un, soyons d'abord «uniques», et notre vie terrestre s'en ressentira.

Une première direction s'impose d'elle-même, comme une invitation au voyage. Puisque la source de notre stress réside dans la confusion et les égarements de notre mental trop sollicité, tâchons d'abord de lui imposer silence. Autrement dit, pour apaiser le «jeu» de notre agitation perpétuelle, faisons taire ce tambour creux qu'est le «je». Nos sensations, nos pensées se croisent et se bousculent comme les voyageurs dans un hall de gare ; souvent même, elles se télescopent et se querellent bruyamment, faisant régner dans nos cerveaux toute une excitation piaffante dont les chicanes monopolisent notre attention. Trame épaisse de nos désirs et de nos préoccupations matérielles, goût maniaque de notre esprit pour les labyrinthes de l'analyse, ronde obsessionnelle de nos tracas personnels, distorsions opérées par nos phobies : autant de voiles qui font écran à notre perception brute, directe, de la réalité, comme les nombreux voiles de la déesse Isis masquaient la lumière divine. Dès lors, si nous voulons vraiment « recoller » au réel, la première étape consiste à calmer le tumulte de notre trop belle mécanique mentale, aujourd'hui détraquée, et dont les rouages craquent de toutes parts.

Bouddha comparait l'esprit de l'homme confus à un verre d'eau troublée par la boue. Celle-ci nous empêche de constater la clarté du liquide, comme notre confusion mentale nous empêche de reconnaître la nature véritable de notre être. Comme l'eau souillée devenue non potable, notre comportement se trouve contaminé par nos ratiocinations incessantes. Laissons décanter, afin que la pureté divine de l'esprit apparaisse.

Mais gardons-nous toutefois de sous-estimer les obstacles que nous allons rencontrer. Car nous devrons affronter non seulement l'anarchie mentale due au stress, cette écume des jours, mais aussi une vague de fond constituée par l'ensemble des notions préfabriquées que nous collons sur le réel. Il nous suffit de songer à la grille de pensée que font peser sur nos esprits notre nationalité, notre âge ou notre langue, pour en admettre l'existence. Poids d'une culture, esprit de caste, déformation professionnelle, fausse perception de notre corps physique, manipulations occultes de notre inconscient : tout nous incite à reconnaître la puissance de ce conditionnement, et la nécessité de le dépasser. Quand un seul grain de sable est capable de nous troubler la vue, on imagine à quel point ces écrans de fumée finissent par devenir aveuglants. Il va nous falloir les traverser, aller au-delà, pour savoir qui nous sommes réellement.

Nos capacités de raisonnement intellectuel, qui par ailleurs peuvent nous rendre de grands services, ne nous aideront en rien dans notre recherche d'apaisement intérieur. Cette recherche est une démarche d'humilité, de simplicité, et sans doute d'ailleurs est-ce là le plus... difficile au départ : poser ses bagages avant de descendre en soi.

Curieusement d'ailleurs, la «crise des valeurs» que connaît le monde moderne nous incite à agir de cette manière. La remise en question de nos croyances, de nos pseudo-certitudes intellectuelles, génère certes dans un premier temps un mouvement de peur, mais c'est aussi une chance pour nous puisque nous voilà d'un coup débarrassés d'un nombre de préconceptions – inculquées depuis notre plus jeune enfance, ou développées par la suite, au gré de lectures mal digérées ou d'enseignements faussés. Aujourd'hui, et c'est une des grandes opportunités de cette fin du Kali-Yuga, le prisme déformant est en train de se craqueler. Contraint à la modestie, notre mental pourrait ainsi s'effacer et nous ouvrir l'accès à l'objectivité nue, aux plaisirs de la présence directe au monde, non médiatisée. Tous les chemins de la rationalité semblant avoir été épuisés, nous formons le vœu d'un grand torrent d'eau vive qui nettoierait les écuries d'Augias de nos cerveaux. Dès que nous arrêterons de considérer la vie à travers un filtre, celle-ci prendra soudain des couleurs nouvelles, simples et merveilleuses à la fois, et le monde cessera d'être une mécanique pour réellement s'animer.

Créer le vide mental, instaurer le silence en nous, faire taire l'ego... Tous les manuels du New Age l'ont recommandé, prônant entre autres la relaxation, dont je ne nierai sûrement pas les bienfaits, mais qui se révèle bien en deçà des objectifs qu'on peut atteindre avec une méditation à dimension « sacrée ».

La relaxation vise à se débarrasser de ses tensions en relâchant ses muscles ; le bras droit, le bras gauche, les jambes, jusqu'à obtenir un relâchement corporel qui doit entraîner logiquement un mieux-être mental. Mais c'est là un apaisement qui tient lieu de soporifique. Or il ne s'agit pas pour nous, ici, de nous évader d'un monde difficile, mais au contraire de mieux appréhender le réel, ici-bas et peu à peu dans l'au-delà. Il ne s'agit pas d'anesthésier nos sens mais de les affiner. *« Il faut prier et ne point se relâcher »*, dit Luc (Évangile, XVIII, 1). Si l'on ne recherche qu'une détente musculaire, il serait sans doute aussi profitable de faire une heure de gymnastique ou de natation, activités hautement recommandables, aucunement opposées à la pratique de la méditation, mais qui n'ont rien à voir avec elle. Car il ne s'agit pas de « décompresser », mais de nous abandonner en profondeur – en faisant le vide – aux forces supérieures qui pourront alors descendre en nous, nous assistant aussi bien dans notre vie courante que dans notre quête spirituelle, quand nous serons mûrs pour elle.

Tant il est vrai qu'apaiser le jeu/je n'est pas le but en soi, mais une étape absolument nécessaire, avant celles que nous aborderons dans les chapitres suivants. Je serai d'ailleurs amené, au fur et à mesure de notre progression, à distinguer trois sortes de méditations : une méditation réalisant le silence intérieur, une autre qui demande protection, et enfin la méditation qui doit permettre d'atteindre l'illumination divine. Nous ne parlerons pour l'instant que de la première.

Et ne croyez pas qu'instaurer le silence soit si simple ! Il ne suffit pas d'ordonner à notre mental de se taire. Cet incorrigible bavard défie nos meilleures dispositions. La plupart des gens qui tentent de pratiquer la relaxation en solitaire se plaignent amèrement de lui. «J'arrive à détendre mes muscles, mais je ne peux pas chasser les pensées parasites.» Il existe pourtant des techniques pour ce faire. Des techniques qui nous ont été enseignées par toutes les religions, mais qu'au fil de la modernité nous avons jugées formalistes, fétichistes, naïves, alors qu'elles sont le support de nos méditations.

Il ne s'agit d'ailleurs pas seulement d'imposer à son ego le silence, mais de faire le vide, c'est-à-dire de nous débarrasser de cette boue dont parle le Bouddha. Les sages orientaux précisent bien que le secret de la fleur de lotus n'est pas dans la boue dont elle est sortie, mais dans les rayons du soleil: à nous de les faire pénétrer en nous. De même la sérénité, la joie, voire simplement la maîtrise de notre vie terrienne ne seront pas le fruit d'un simple travail mécanique de relaxation : elles ne viendront que par l'ouverture de notre canal spirituel, et par le mouvement vers nous d'une vibration supérieure. Créer le vide, oui, mais pas pour se construire un cocon insonorisé. Faire le silence, non pour ne plus rien entendre, mais pour mieux écouter.

Sachez-le : il est impossible de faire l'économie de ce nettoyage mental. C'est difficile, sans doute, mais ce n'est pas un pensum rébarbatif : à la longue, cela devient aussi plaisant que de prendre une douche ! Et ne vous imaginez pas qu'à force de « calmer le je » vous allez devenir une sorte de témoin indifférent à ce qui se passe autour de vous et que la gaieté ou le bonheur de la vie vous échapperont. C'est exactement le contraire qui va se produire. Car le « jeu-je » que nous combattons, c'est celui qui joue avec la réalité, ou plutôt qui triche avec elle, qui nous la rend fausse, faussée, donc pleine de pièges. Freud disait que le contraire du jeu n'était pas le sérieux, mais le réel. Or la vraie joie, le vrai bonheur (je parle d'ici-bas pour commencer) ne sont à chercher nulle part ailleurs que dans le réel. *« Le Royaume du Père est répandu sur la Terre, mais les hommes ne le voient pas »*, nous dit l'Évangile apocryphe de Thomas (logion 113).

Ce « je » logorrhéique qui nous empêche d'écouter, ce n'est pas en le muselant de force qu'on en viendra à bout, mais grâce à des pratiques qui ruseront avec lui, presque à notre insu. Les exercices préparatoires qui vont suivre ont la faculté de nous faire passer de l'état anarchique d'agitation stressante à une provisoire vacuité qui va permettre à notre réalité intérieure de grandir, de réoccuper progressivement le devant de la scène dont elle a été chassée. «*Ne perds pas une parcelle de la lumière que tu détiens,* disait le poète musulman Iqbal, *saisis fermement le nœud de ton être. Sculpte de nouveau ta forme ancienne, examine-toi toi-même, crée un être vivant. Seul un être ainsi vivant est digne de louanges, sinon le feu de l'existence n'est que de la fumée.*»

Programme ambitieux? Peut-être. Mais c'est aussi le seul à notre portée, puisque précisément il nous prend pour matériau premier de cette transmutation. De plus, ce travail se révèle très tôt bénéfique, il suffit de le commencer pour qu'il ne cesse ensuite de porter ses fruits. Dans le *Tao tê King*, ce guide de la «Voie et de la Vertu» rédigé par Lao Tseu quelques siècles avant Jésus-Christ, on insistait ainsi sur ce qui pourrait être la règle d'or de toute pratique : «*Cet arbre qui remplit tes bras, son principe est un germe infime, cette tour et ses neuf étages, ils sont issus d'un petit tertre, ce voyage de mille lieues, il a commencé par un pas.*» Alors lançons-nous, faisons ce premier pas. Et si, comme l'affirme le Coran, «la pureté est la moitié de la foi», souvenons-nous que le «commencement est la moitié de tout» (Aristote). Certains feront le trajet en courant, d'autres en boitant, mais tous viendront, à leur rythme.

*
**

POUR APAISER LE JEU, CALMER LE « JE »

Maintenant que nous avons une idée de la stratégie d'ensemble et de l'enjeu du combat, essayons de déterminer comment nous allons procéder de façon concrète. Quels sont les moyens à notre disposition pour instaurer le silence et se mettre en paix avec soi ? Ils sont nombreux, expérimentés par l'homme depuis des millénaires et inscrits pour la plupart, nous l'avons dit, dans les rites des religions majeures. Certaines techniques peuvent paraître anecdotiques, certains conseils accessoires. Pourtant, ne nous y trompons pas : les maîtres spirituels leur ont accordé une grande importance, sans doute parce qu'ils avaient conscience que se jouait là l'impulsion nécessaire au néophyte.

Ainsi lorsqu'on parle de pratique de la méditation, il convient de commencer par le début, c'est-à-dire par la position à adopter. *« S'asseoir en posture convenable est la véritable entrée à la pratique du Zen »*, disent les moines adeptes. Et l'entrée, comme chacun le sait, fait déjà partie de la maison. Bien s'asseoir, c'est donc déjà être sur la voie.

Cela ne signifie pas pour autant que je vais adopter la fameuse position du lotus – jambes croisées à plat – à l'honneur dans les religions orientales. Les craquements de mes articulations risqueraient trop de troubler le silence ! Je ne me considère pas comme un homme de l'« assis par terre » mais de l'« assis sur une chaise ». Notons au passage que contrairement à ce qu'on croit souvent, la position qui consiste à s'asseoir sur une chaise n'est pas absente de l'iconographie bouddhiste. Rien ne s'oppose non plus, à mon sens, au fait de s'allonger. On encourt le risque tout mécanique d'un assoupissement, certes, mais si vous êtes alité par la maladie, ou trop fatigué pour ne pas résister au besoin de vous étendre, ne vous privez pas de méditation pour autant.

Au fond, je suis d'avis de conseiller la plus grande commodité dans ce domaine. En lotus, sur une chaise ou même allongé, je propose à chacun de choisir la position qui lui paraît la plus confortable. J'ajouterai qu'il est important de ne pas copier machinalement les techniques des autres, car accepter d'emblée une autorité extérieure serait une bien curieuse manière de débuter un travail de libération... Nous avons chacun un corps, un âge, avec des possibilités physiques complètement différentes. Il serait donc absurde d'imposer à qui que ce soit une attitude qui pourrait le gêner. Gardons-nous de faire de la position une discipline trop contraignante car elle risque alors de focaliser notre attention, ce qui empêche l'autre concentration. Une pléiade de faux gourous prennent un malin plaisir à enfermer les gens dans un formalisme dangereux: ils décrètent qu'il faut lever les pieds en l'air, faire le poirier ou loucher sur la pointe de son nez... Dans toutes ces aberrations, on recherche une fausse originalité et non la transformation. On me rétorquera que les ordres monastiques prônent l'agenouillement, voire la prosternation sur le sol. C'est tout à fait acceptable, dans la mesure où ces positions ne se révèlent pas douloureuses, et surtout à condition de ne pas voir là des postures humiliantes visant à «piétiner le corps». Il me semble pour ma part que le plus important est de retrouver le plaisir total de la prière en faisant en sorte que ce corps ne soit pas un obstacle mais une caisse de résonance. Il ne s'agit pas de le contraindre, mais de l'oublier, pour mieux libérer le mental sur lequel s'effectue le travail.

En ce qui me concerne, je suis donc assis sur une chaise, les bras et les jambes non croisés pour laisser circuler les énergies, la plante des pieds reposant bien à plat sur le sol afin de m'ancrer en terre, les mains étendues sur les genoux. Je garde les yeux mi-clos car, pour calmer le jeu, il faut d'abord tromper l'adversaire. En fermant les paupières, je m'exposerais imprudemment aux fantasmagories de mon mental ; en les laissant complètement ouvertes, je pourrais être distrait par tel livre dans ma bibliothèque, telle silhouette dans mon jardin, ou par un vol d'oiseau dans le ciel...

Je m'assieds légèrement en avant, afin de ne pas couper la circulation du sang à hauteur des cuisses, et surtout pour ne pas être tenté de prendre appui sur le dossier de la chaise. Je dois contrôler moi-même la droiture parfaite de mon dos : je tâche de décrisper les épaules, tout en résistant à la possibilité d'un avachissement progressif. Je me représente ma moelle épinière comme la corde d'un violoncelle ou d'une contrebasse : trop tendue ou pas assez, elle sera mal accordée. Peu à peu, à tâtons, j'essaie d'obtenir la note juste...

Il s'agit en fait de se placer en perception vers le haut, comme pour exprimer à travers le corps la disposition de notre âme. En effet, s'il faut renoncer à la définition d'une position universelle, il reste un point capital à observer : l'attitude corporelle doit réinstituer la verticalité, ou du moins la rectitude de la colonne vertébrale si l'on est allongé. Il faut sentir cette colonne vertébrale, l'étirer au besoin vertèbre après vertèbre par de légères mobilisations du buste et de la nuque, tout en stabilisant l'assise du bassin. On harmonise ainsi toute cette charpente osseuse, autour de laquelle vont se réorganiser nos muscles et nos nerfs. Nous prenons une conscience «lourde» de nos organes, de nos vaisseaux·sanguins, nous cernons enfin notre enveloppe épidermique.

On ne peut pas se ressourcer efficacement si l'on est décalé par rapport à son corps. Ce décalage provoque en effet des échanges électromagnétiques constants et épuisants : le corps subtil – l'aura – veut revenir à sa place, il en est empêché, et il s'ensuit une énorme perte d'énergie. Beaucoup de nos maladies découlent du fait que la colonne vertébrale est faussée, et qu'elle n'occupe pas le centre de la colonne énergétique. Tout se déclenche : maux de dos évidemment, tensions musculaires, mais aussi migraines, courbatures, et blocages d'organes qui vont entraîner progressivement de graves dysfonctionnements. Le point de départ de la santé, sinon la panacée de tous nos maux, c'est une colonne vertébrale droite. Car c'est autour de cet axe que s'enroule la *kundalini,* ce ruban énergétique reliant nos *chakras,* comme la double spirale qui serpente autour du bâton dans le caducée d'Hermès, un des plus anciens symboles du monde. Si la colonne est faussée, les forces dynamiques de la kundalini ne peuvent s'exercer librement. Quand elle est redressée, ces forces jouent à plein et la fatigue s'envole. Notre colonne devient alors un totem élevé vers la Divinité, une sorte de pilier cosmique autour duquel s'organise notre univers.

Cette «rectification» va permettre à notre aura de retrouver sa place. Progressivement, elle deviendra même plus lumineuse, blanche ou bleu pâle pour les gens très avancés dans la recherche. À ce stade, elle est obligatoirement centrée. Lorsqu'elle parvient au violet absolu, l'aura se transforme en une sorte d'auréole au-dessus de la tête : l'homme ·est en parfaite harmonie avec son être intérieur...

Les débutants, eux, même en choisissant l'attitude la plus détendue, éprouveront peut-être des difficultés à tenir la position, et quelques douleurs aux jointures. N'oublions pas que nous sommes tout juste en train de recoller les morceaux. Mais bientôt, nous nous rendrons compte que nous sommes capables de prolonger la position sans effort, elle nous deviendra même parfaitement naturelle. Il nous suffira de l'adopter quelques instants pour en ressentir aussitôt les effets bénéfiques. Une sensation de bien-être, de régénération nous envahit, comme si la déperdition de notre énergie physique et psychique s'inversait soudain. Nous abordons la méditation en meilleur équilibre, et déjà en meilleur état.

Ce mieux-être va être accru par ma respiration. Lorsque je suis bien installé, en pleine recherche de verticalité, je peux entreprendre ce deuxième exercice. J'adopte une respiration d'abord très lente, mais profonde, grâce à laquelle je vais ventiler le corps tout entier. C'est une respiration intense, qui part du bas du ventre jusqu'en haut des poumons. J'inspire et j'expire à fond trois fois, puis ma respiration se réduit naturellement, jusqu'à ce que je finisse par l'oublier.

J'insiste sur ce dernier point car toute technique respiratoire qui devient obsessionnelle me semble faire obstacle au silence. Respirons de façon naturelle : avec une certaine force tout d'abord afin de bien nous oxygéner – nos corps sont empoisonnés par le manque d'oxygène – puis de façon paisible, en harmonie avec notre flux vital. Dans la Genèse, la respiration est présentée comme une «haleine de vie» : Dieu l'insuffle dans les narines d'Adam, qui devient alors un «être vivant». Par le souffle, nous sommes encore liés au Divin. «*Que le souvenir de Dieu ne fasse qu'un avec ta respiration*», disait au VIIe siècle saint Jean Climaque, l'abbé du mont Sinaï. C'est également en soufflant dans leurs narines que les maîtres hindous transmettent l'initiation à leurs disciples. Et si l'on appelait les alchimistes les «souffleurs», ce n'est pas seulement parce qu'ils ranimaient le feu sur lequel cuisait leur mixture aurifère mais parce qu'ils soufflaient aussi le savoir. Dans la respiration comme dans la recherche de verticalité, nous avons l'occasion de toucher ce noyau intérieur de notre identité profonde, qui n'a que faire de nos discours et qui, en chacun de nous, demeure en quête de Vérité.

Ces préparatifs ont une réelle utilité : ils nous mettent en condition. Comme le faisaient les gestes de la prière chrétienne – mains jointes ou paumes ouvertes tournées vers le ciel, agenouillement, signe de croix–qui ont hélas aujourd'hui souvent perdu leur sens aux yeux des fidèles. Car ils se sont figés en rites stéréotypés, accomplis machinalement, coupés de l'expérience sensible et mystique sur laquelle ils doivent ouvrir. Le chrétien croit franchir un pas vers une religion de plus grande conviction en rejetant ce qu'il prend pour le comble du formalisme : il a juste perdu quelques étais précieux dans la pratique de sa foi. Beaucoup de gens, en fait, ne savent simplement plus « se recueillir » parce qu'ils ne comprennent plus l'origine des rites. Et ils finissent par « faire » leur prière comme ils font la vaisselle ou le ménage. Véhicules de la Tradition, les rites religieux cachent des secrets à raviver.

Qu'on ne me prenne pas cependant pour un redoutable intégriste ! Je suis au contraire persuadé que ce sont les carcans instaurés par les hommes qui ont perdu ou perdront chacune de nos religions. Les rites aident nos enveloppes corporelles à s'élargir jusqu'à l'esprit, les interdits transforment Dieu en dictateur. Souvenons-nous du Christ répondant aux Pharisiens qui s'étonnaient de le voir guérir un malade le jour du sabbat : « *Quel sera d'entre vous l'homme qui aura une seule brebis et, si elle tombe dans un trou, le jour du sabbat, n'ira la prendre et la relever ? Or combien un homme vaut plus qu'une brebis !* » (Matthieu, XII, 11-12). La recherche de rectitude, de verticalité dont nous venons de parler n'est pas synonyme de rigidité ; au contraire, nous devons nous montrer flexibles : le roseau sent l'effet du Souffle plus que le chêne.

LE TEMPS PRÉSENT

Un certain rituel en méditation demeure nécessaire dans la mesure où il vaut mieux retrouver chaque fois la même position, éventuellement la même direction, à l'instar des musulmans qui prient tournés vers La Mecque et des juifs vers Jérusalem. Mais n'abordons pas la méditation avec l'idée que le respect dogmatique à une règle nous fera mieux réussir. Ne donnons pas dans le prétentieux. Comment ne pas voir que ce côté pompeux, cette codification excessive, ce désir de perfection rapide restent la manifestation la plus outrecuidante de l'ego, toujours prompt à tout récupérer à son profit, jusqu'aux promesses d'élévation spirituelle ?

En somme, et il faudra sans doute le répéter des dizaines de fois au cours de cet ouvrage, restons simples et humbles. Et patients ! Le novice, maladroit, endolori, encombré de distractions au départ, va faire chaque jour à son insu des progrès. Ne proclamons pas d'emblée : «Je ne peux pas, je ne sais pas.» Tout le monde sait faire de la méditation, puisqu'il s'agit simplement d'attendre : attendre non des miracles instantanés, mais que, grâce à notre préparation, les forces supérieures viennent nous éclairer.

Heureusement, il existe des moyens non pas pour tromper cette attente mais pour maintenir notre disposition et nous faire avancer dans la quête. Le plus facile d'utilisation est certainement la prière orale. Comme pour la méditation, dont en l'occurrence elle fait partie, nous en distinguerons trois formes différentes, de façon un peu artificielle car au fond elles sont liées entre elles : la prière-litanie, la prière-demande d'aide, et enfin la véritable prière du cœur, celle qui est approche de Dieu. Dans ce dernier cas, la prière cesse d'être un moyen pour devenir un état. Mais pour le moment, intéressons-nous seulement à la prière-litanie, premier chemin vers les autres oraisons.

Ce que j'appelle la litanie, qui consiste à répéter inlassablement une formule ou une prière, est aujourd'hui tombé en désuétude. On n'y voit plus qu'un rite d'un autre âge, vaguement ridicule, à la limite de l'absurde, et que seuls pratiqueraient les bigotes ou quelques illuminés mystiques. Les dizaines de *Je Vous salue Marie* et de *Notre Père* du rosaire chrétien apparaissent à certains comme l'exemple le plus frappant d'une foi devenue mécaniste et comptable, aux antipodes de la vraie ferveur.

Et pourtant ! Rejeter la litanie, c'est se priver d'un instrument d'une extraordinaire efficacité pratique. Quel meilleur moyen d'emprisonner le mental que de répéter une prière apprise « par cœur » ? Grâce à elle, nous ne donnons plus prise aux assauts de notre esprit, qui nous bombarde sans cesse d'images ou de pensées, bonnes ou mauvaises. *« En vérité, la prière empêche de se livrer à la turpitude et de commettre des abominations, »* lit-on dans la vingt-neuvième sourate du Coran. La prière-litanie nous met à l'abri de toute distraction, elle canalise notre attention, lorsque notre imagination rue dans les brancards. Même si la litanie reste au début « automatique », elle a ses mérites, ne les sous-estimons pas. En position de recentrage, après l'exercice de respiration, calmement, récitons – par exemple – le *Notre Père*. On peut s'adresser aussi à la Vierge, la Vierge originelle, « Notre Mère », ou, pour les musulmans, dire la *Fatiha* qui se trouve en tête du Coran et, chez les juifs, la prière obligatoire *Écoute, Israël*.

Récitons et répétons. Car l'efficacité de la prière itérative ne se limite pas au muselage du mental. Les formules sacrées, les noms divins portent en eux-mêmes leur effet. *« Quiconque invoquera le nom du Seigneur sera sauvé »*, dit Joël (III, 5). Dans toutes les religions, l'invocation du nom de la Divinité est support de la méditation car il est à la fois nourriture et remède. Prononcer le nom divin, c'est déjà capter la bienveillance de Dieu. Dans le Japa hindou, un des exercices fondamentaux réside dans la récitation infinie du nom de Ram, ou des célèbres mantras, ces formulations sonores que le maître communique à son disciple et dont la répétition, à voix haute ou basse, va déclencher l'éveil de la kundalini. L'islam, de son côté, ne demande-t-il pas à ses fidèles de répéter des versets coraniques en arabe, même lorsque ces fidèles ne comprennent pas la langue de Mahomet ? Ce sont en effet les formulations par excellence de la Vérité. Psalmodier cette Parole, c'est en quelque sorte l'infuser dans notre être, nous absorber en elle et nous en enrichir. Ce n'est pas la répétition monotone qui a des vertus apaisantes : ce sont les mots eux-mêmes qui véhiculent une puissance divine capable d'anéantir nos mauvaises pensées. La répétition ne fait que multiplier cette force. L'alchimiste qui se prépare au Grand Œuvre prononce avant d'entamer ses travaux une série d'incantations destinées à faire descendre le « feu secret » dans l'athanor, le creuset des transmutations.

En récitant ces prières, mentalement ou à voix haute, c'est donc un peu de la puissance transformante de l'Esprit que nous faisons entrer en nous par degrés. Ce « souvenir de Dieu », c'est le *dikhr*, la prière des soufis, telle que la définit magnifiquement Ghazali, un maître persan du XIe siècle : «*Tu te tiendras le cœur vide, mais l'attention concentrée en t'orientant vers Dieu le Très Haut. C'est-à-dire qu'au début ta langue sera assidue à répéter le nom de Dieu le Très Haut. Tu ne cesseras de dire "Allah! Allah!" avec une attention éveillée et intelligente, jusqu'à ce que tu arrives à ce point où, si tu cessais de remuer la langue, il te semblerait que le mot continue à courir sur elle, si grande est son accoutumance. Tu continueras ainsi jusqu'à ce que la langue n'ait plus de rôle à jouer; tu verras ton âme et ton cœur travaillés par ce dikhr sans que la langue bouge. Tu continueras avec assiduité jusqu'à ce qu'il ne reste dans ton cœur que le sens du vocable et que tu ne t'en représentes point les lettres et les formes, mais la signification pure qui soit indéfectiblement et continuellement présente à ton esprit. Ton libre arbitre va jusqu'à cette limite. Il ne la dépasse que pour repousser sans trêve les obsessions distrayantes. Puis il cesse de jouer. Tu es dans l'expectative, attendant l'illumination. Elle peut être fugitive comme l'éclair, ne pas demeurer, puis revenir... Voilà la méthode des soufis.* »

Tout est là : la concentration, la répétition, le silence du «je» et l'attente... Dans les *Récits d'un*

Pèlerin russe, un des ouvrages de référence de la religion orthodoxe, un père spirituel conseille à un aspirant de répéter 3 000 fois par jour, puis 6 000 fois et jusqu'à 12 000 fois par jour la prière de Jésus, celle du publicain du Nouveau Testament : «Seigneur Jésus-Christ, Fils de Dieu, aie pitié de moi pauvre pécheur.» Il ne s'agit pas pour nous, bien sûr, de nous astreindre à pareille prouesse mais de faire de la prière un rythme aussi naturel que la respiration, d'en faire la nourriture de notre être. Alors soudain, les lèvres se taisent, et c'est le cœur qui parle. Les soufis ne disent pas autre chose : « *Le dikhr commence avec la langue et finit avec le cœur...*» Comme les gammes du musicien qui se métamorphoseraient soudain en une lumineuse improvisation.

Toutefois, en pratiquant notre prière-litanie, nous devons prendre soin d'éviter le rabâchage sans conviction dénoncé par la Bible. « *Dans vos prières, ne rabâchez pas comme les païens : ils imaginent qu'en parlant beaucoup ils se feront mieux écouter* », lit-on dans l'Évangile de Matthieu (VI, 7). Isaïe nous met également en garde (XXIX, 13) : «*Ce peuple est près de moi en paroles et me glorifie de ses lèvres, mais son cœur est loin de moi.*»

Peu à peu, essayons de ne pas chantonner nos prières « la la la, la la la », comme une vieille ritournelle. Écoutons-les. Prenons le *Notre Père* : Que Ton nom soit sanctifié, que Ton règne vienne... Que Ta volonté soit faite (humilité, remise entre Ses mains, apaisement)... Donne-nous aujourd'hui notre pain de ce jour (protège mon existence terrestre)... Pardonne-nous nos offenses (examen de conscience) comme nous pardonnons aussi à ceux qui nous ont offensés (rude effort, dont nous reparlerons dans l'utilisation de l'Amour)... Ne nous soumets pas à la tentation, mais délivre-nous du mal (Satan) : Amen, tout est dit... à condition de prendre conscience de ce qu'on nous dit là.

La répétition et l'invocation dans un premier temps, l'entendement et la sincère conviction ensuite : voilà qui va préparer la place pour les anges, les grands Guides et la Divinité. Mettons-nous en état de « re-cueillement ». Prononçons et répétons les paroles. *« Une bonne parole est comparable à un bon arbre dont la racine est solide et la ramure dans le ciel »*, nous dit la quatorzième sourate du Coran. Ainsi comprise, la répétition qu'on croyait limitative nous procure la liberté, la litanie qu'on disait monotone s'ouvre sur une formidable explosion de joie.

Si vous craignez de ne pas réunir la concentration nécessaire à cette pratique de prière, sachez qu'il est possible, voire souhaitable, d'utiliser ce que j'appellerai des objets-relais. Ceux-ci vont nous aider à créer autour de nous un havre de paix, et à établir le contact avec le macrocosme. Les bouddhistes tibétains utilisent ainsi un « moulin à prières », un cylindre dans lequel ils ont placé un parchemin sacré et qu'ils font tourner sur un axe. Véhicule ou aiguillon de notre prière, l'objet peut alors en augmenter le rendement. Le chapelet, archaïque dans la chrétienté mais toujours utilisé par les musulmans ou les Tibétains, n'est rien d'autre qu'un support de la prière.

En ce qui me concerne, je dispose d'un certain nombre d'objets que j'aime et qui viennent me rappeler à la sérénité. Ils me font souvenir aussi de la nécessité de ma recherche. Si mon univers quotidien était dénué de tout repère spirituel, le mental y trouverait sans doute plus de force pour interférer dans ma méditation. Mon attention n'étant soutenue par rien, la folle du logis reviendrait au galop pour exercer sa domination sur mon esprit. Ces objets viennent donc à point nommé pour me redonner la véritable direction de ma vie. Dans le Cantique des Cantiques (I, 13), on lit : «*Mon bien-aimé est un sachet de myrrhe, qui repose entre mes seins.*» Quel qu'il soit, l'objet choisi, conservé à portée de main ou du regard, répand autour de nous ses effluves, ou ses ondes, instaurant une atmosphère parfumée, vibratoire, qui évoque la présence divine à nos côtés.

Il faut faire attention bien évidemment à ne pas se laisser entraîner dans la superstition ou l'idolâtrie. Mais telle que je la conçois, l'utilisation d'objets-relais échappe complètement à ces écueils, car il s'agit juste d'un rappel à l'ordre. Il y a là plus de symbolisme que de magie. Je place autour de moi ces objets-codes, qui n'ont aucune autre signification ou valeur que celles que je leur prête. Je les sanctifie personnellement en leur donnant une fonction de mémoire. J'ai accroché dans mon bureau un tableau du Christ, une peinture presque naïve, et je suis conscient bien sûr qu'elle reste une simple toile, amalgame de couleurs d'une valeur marchande presque nulle. Mais le chemin qu'elle a emprunté pour venir à moi, la présence qu'elle signale dans cette pièce, tout cela devient un soutien utile à ma vigilance. Ce portrait n'est pas une « idole » que j'adorerais pour elle-même, mais il n'est pas non plus une image plate, qui ne me serait d'aucun secours. Il devient « icône », support sensible d'une transcendance, fenêtre ouverte entre le Ciel et la Terre.

Je possède aussi une statue de Bouddha, qui m'a été offerte par des amis chers, au retour d'un voyage : lorsque je la regarde, avec son sourire mille fois plus énigmatique que celui de la Joconde, je me répète « je suis un bouddha », le bouddha étant un état espéré, celui de la sérénité. De tels objets me sont des points de repère dans mon espace visible. Et si je m'en sers, ce n'est pas parce que je leur suppose des propriétés magiques, mais bien plutôt par simple humilité, parce que je sais que le combat est difficile et que je n'aurai pas trop de ces balises extérieures.

Avec les pierres, le rapport est un peu différent car ce sont des mémoires vivantes, des entités vieilles de quatre cents millions d'années qui, si on les réveille, possèdent un pouvoir étonnant, car leur vibration est en harmonie avec celle du Cosmos. Elles nous permettent donc de nous accorder. J'ai toujours sur mon bureau une grosse améthyste triangulaire que j'ai réveillée, et qui s'adresse à moi ainsi : « Attention à ton chemin, n'oublie pas ton chemin. » Mais ne tombons pas là non plus dans le piège de la «pierre porte-bonheur»: pour le novice, ou plus généralement pour tous ceux qui sont dans le monde et dont la recherche doit se concilier avec les exigences d'une vie professionnelle active, les pierres comme les autres objets font simplement des clins d'œil, ils nous invitent à prendre le recul nécessaire pour mieux nous recentrer. Le moine qui consacre toute son existence à la spiritualité peut avoir besoin d'un crucifix. Pourquoi nous, qui sommes sans cesse exposés au divertissement, et donc menacés de nous désengager, n'aurions-nous pas nos propres béquilles ? La décision première qui nous a conduits sur le chemin a parfois besoin d'être revitalisée, et les priorités que nous avons aperçues doivent nous être rappelées. Dans les églises orthodoxes, devant les icônes, on trouve un cierge ou une lampe allumée en permanence. Cette flamme est une «veilleuse», elle symbolise l'esprit de sainteté, ce feu intérieur que nous devons sans cesse entretenir.

Une autre façon de coincer le mental, également une des techniques les plus anciennes, consiste à utiliser le son. Utiliser le son pour faire le silence ? A priori cela semble contradictoire puisqu'il s'agit de créer dans le silence un état vibratoire neutre alors que le bruit, le cri, les hurlements sont des vibrations négatives et épuisantes. Mais en fait la démarche est parfaitement logique: on va combattre le bruit par un bruit de même nature mais intérieur. C'est le principe des barrières sonores qu'on met en place actuellement autour des aéroports. On renvoie vers les avions le même son que celui produit par leurs réacteurs, à la même fréquence, et voilà qu'on n'entend plus rien.

J'utilise pour cela le fameux « Om » de la tradition hindoue, ce « Aum » dont on retrouve d'ailleurs la sonorité dans le Shalom des juifs, le Salam des musulmans, et le « Nom » de Dieu. « Om », c'est le mantra des mantras, le son primordial du Cosmos, peut-être aussi celui de la fin, de l'« oméga ». *« Celui qui ne connaît pas la Syllabe qui est le séjour de tous les dieux dans l'espace suprême, que pourra-t-il faire avec l'hymne ? »* lit-on dans le *Rig Veda*, l'un des textes sacrés que les hindous ont hérités de leurs ancêtres aryens.

Cette syllabe sacrée nettoie tout l'intérieur du corps et enlève le parasitage vibratoire – désir, violence, haine – comme si l'on réaccordait les cordes de sa lyre intérieure. Dans le travail de préparation, on va prononcer ce « aum », commencer par tenir le « a » ouvert, puis prolonger cette vibration en « om ». Le « a » guttural, qui doit venir du plus profond de la gorge, va s'épanouir en « o » avec une force inouïe à l'intérieur de nous, résonner dans notre cage thoracique, vibrer dans nos entrailles, puis finalement échouer sur nos lèvres dans ce « m » labial qui referme la porte sur cette vidange intérieure. On dit que Dieu a 99 noms, plus un qui est inconnu : ce Grand Nom capable de chasser nos démons et d'exaucer tous les vœux, ne serait-ce pas cette vibration, qui ne peut s'écrire mais qui doit se moduler à l'infini ?

LE TEMPS PRÉSENT

Aaa–oooooooo–mm–mmm... Je sens le son sourdre de mes cordes vocales, me remplir les poumons, puis descendre très bas le long de la colonne vertébrale, avant de sortir pour exhaler tout le stress. Parvenu ainsi au rééquilibrage des énergies intérieures, je me sens très loin, comme si je me trouvais sur une montagne enneigée. «*Purifie-toi des attributs du moi, afin de pouvoir contempler ta propre essence pure*, dit un poète arabe. *Le livre du soufi n'est pas composé d'encre et de lettres; il n'est rien d'autre qu'un cœur blanc comme la neige.*»

Lorsque l'apaisement commence à venir, lorsque j'ai exhalé mon stress, je me mets à l'écoute. L'oreille gauche est aux aguets. Tous les bruits extérieurs me parviennent encore. Je me dis: «Non, ce n'est pas cela que je veux ; je veux entendre les sons qui émanent de ce volume énergétique situé à vingt-cinq ou trente centimètres autour de l'oreille.» Les yeux toujours mi-clos, je prête toute mon attention, je suis tout ouïe, et brusquement j'entends un autre son, celui du sang qui bat le long de l'oreille interne. C'est une sorte de sifflement, une note de musique que j'écoute avec la plus grande concentration. Automatiquement, le mental se calme car il est lui aussi à l'écoute de ce son étrange et nouveau. Peu à peu les bruits du monde extérieur s'estompent. Il ne reste plus que ce sifflement de proximité.

Je m'efforce alors de transférer ce son à l'intérieur de moi. Lentement, il pénètre jusqu'au tréfonds de mon être et je l'accompagne: je rentre à l'intérieur de moi, je me sens minuscule, condensé au centre de mon enveloppe corporelle, tandis que celle-ci et mon corps éthéré s'élargissent aux dimensions du Cosmos. Je me retrouve tout petit, regroupé à l'intérieur de mon être, et en même temps gigantesque, cosmique, dans une dilatation universelle qui n'a que faire des mesquineries de mes tracas.

Faire le silence, c'est faire de son corps cette cathédrale intérieure dans laquelle on peut éprouver tour à tour ou simultanément l'intimité apaisante d'une crypte et le vertige d'une nef ouvrant sur l'immensité de la voûte céleste...

Lorsqu'on parvient à identifier son intériorité à un Cosmos, lorsque votre cœur prend les proportions d'une cathédrale sans limites, on éprouve un sentiment de paix, d'harmonie. Alors apparaît le sourire imperceptible du Bouddha se penchant sur son ventre rond, énorme, sur ce « soi » intérieur et infini. La méditation réussit à annihiler cet écart — grand générateur de stress — entre ce que nous sommes et ce que nous voudrions être. Elle nous redonne un regard d'unicité sur nous-mêmes. En faisant le vide de la peur et du stress, nous permettons alors aux maîtres de Lumière de descendre dans cette cathédrale purifiée. Le monde vibratoire lumineux nous envahit : tout change. Au terme de ma méditation, je me sentirai animé d'un surcroît d'énergie, prêt à soulever les montagnes.

Prenez bien garde cependant à ne pas contrarier les forces supérieures en essayant de jouer vous-même les faiseurs de miracles! Autant, dans la méditation, j'utilise abondamment le son et la parole-prière, autant je me méfie de certaines visualisations. Sans être aussi iconoclaste que les musulmans, je redoute ces représentations formelles prônées par le Nouvel Âge (en tout cas par ses dérapages) et où l'on privilégie généralement le matériel par rapport au spirituel. Les manuels du New Age ont fait de la visualisation positive un de leurs principaux leitmotive. Selon eux, une fois le calme venu, il suffirait de se «visualiser» beau, riche et réussissant tout pour que cela arrive. Pratiquer cette méthode Coué dans la vie peut se révéler bénéfique, mais pas dans la méditation! Que vous vous prépariez à un rendez-vous délicat en imaginant votre attitude au mieux de son efficacité, et en reprenant confiance en vous relève d'un auto-management recommandable. Vous «pensez positif», selon la formule à la mode, et vous avez raison. Mais en méditation, vous attendez au contraire – implicitement – que les forces divines vous éclairent, au-delà des méandres sinueux et parfois broussailleux de votre pensée humaine. Si vous prenez leur place au lieu de faire le vide pour les accueillir, vous réveillez le tintamarre du mental et de ses fantasmes. Or on ne calme pas la tempête intérieure en agitant des chimères sous ses yeux. C'est là le type même de récupération perverse dont est capable notre ego, toujours prêt à empêcher de laisser «mourir le vieil homme»: celui de nos erreurs, de nos pensées préfabriquées, celui qui nous empêche de renaître.

POUR APAISER LE JEU, CALMER LE « JE »

Les énergies célestes ne peuvent venir nous inspirer que si l'on a fait place nette. Lorsqu'on a réussi à calmer le « jeu-je », on reste en attente, dans le sentiment ineffable du « je suis ». Nous avons créé à l'intérieur de nous un monde de réception. Qu'attendons-nous ? Des vibrations supérieures. On se refuse à leur donner forme, mais on peut les appeler, espérer quelque chose de fantastique, de lumineux, d'extraordinaire. Visualiser ne pourrait qu'atténuer ou déformer. Restons plutôt dans un silence respectueux. La nature a horreur du vide, même et surtout spirituel : ainsi, quand le vide mental est réalisé, descendent des énergies divines qui prendront une forme correspondant à la religion du récipiendaire. Pour les chrétiens, par exemple, ce seront des anges gardiens, des êtres de lumière fantastiques, des colonnes de lumière formidables qui s'adressent à nous. Les gens les appelleront les « voix de la conscience », mais c'est d'une conscience supérieure qu'il s'agit. Et ces voix nous disent des choses extraordinaires, elles vont nous guider dans la suite du chemin.

Exerçons-nous donc à développer en nous cette faculté d'écoute, nous en sortirons transformés. Souvenons-nous de l'épisode de la Transfiguration (Luc, IX, 29), lorsque Jésus a gravi la montagne avec Pierre, Jacques et Jean pour prier. « *Comme il priait, l'aspect de son visage devint autre, et son vêtement d'une blancheur fulgurante.* » D'une nuée au-dessus d'eux, une voix partit : « *Celui-ci est mon Fils, l'Élu, écoutez-le.* »

*
**

LE TEMPS PRÉSENT

Où, quand et avec quelle fréquence convient-il de pratiquer tous ces exercices d'apaisement du jeu/je ? Dans l'idéal, il faudrait le faire dès qu'on a un moment libre, dès qu'on sait par exemple qu'on dispose d'une vingtaine de minutes entre deux rendez-vous, dans un taxi, dans le métro... On peut aussi essayer de se mettre à l'écart sur un banc public, dans une église, dans.un lieu soustrait aux sollicitations extérieures. Mais ce n'est pas toujours possible. Personnellement, après plusieurs décennies de pratique, j'arrive à me recueillir dans le métro, dans le bus, je peux méditer là où je me trouve. Il faut penser à garder les yeux mi-clos pour ne pas être attiré par les formes, les couleurs qui passent. Dans la journée, on peut se livrer à cet exercice d'apaisement une fois, deux fois ou dix fois, selon les moments privilégiés que l'on se ménagera. Les fakirs, en Inde, sont capables de faire le vide en eux assis au milieu de la circulation, dans les bruits, les hurlements des klaxons. Un maître soufi disait à propos de cette capacité de concentration : « *Cela consiste à être si profondément occupé à son propre dikhr que l'on peut se promener sur la place du marché sans avoir conscience du moindre bruit.* »

Mais il faut pour cela avoir acquis une maîtrise colossale. Ce qui est loin encore d'être le cas de tout le monde... Pour ceux qui commencent le chemin, il est donc conseillé de pratiquer la méditation dans une pièce calme, le plus possible isolée des bruits extérieurs. « *Si tu veux prier, descends dans la crypte de ton cœur* », préconise Matthieu (VI, 6).

On l'a vu, la répétition fréquente est un élément essentiel pour garantir l'efficacité de ces techniques. Mais là encore, c'est rarement possible pour les néophytes. Les musulmans insistent pour que la prière soit faite cinq fois par jour. Les juifs suivent l'exemple de Daniel : *«Daniel monta dans sa maison, les fenêtres de sa chambre haute étaient orientées vers Jérusalem et trois fois par jour il se mettait à genoux, priant et se confessant à Dieu.»* Contentons-nous, dans un premier temps, de faire le silence en nous le matin et le soir. On lit dans le Psaume 5 de la Bible : *«Au matin tu écoutes ma voix, au matin je fais pour toi les apprêts et je reste aux aguets.»* Le matin est sans doute à mes yeux le moment le plus privilégié. Je me lève toujours à l'aurore, au moment où les oiseaux se mettent à chanter, comme pour me rappeler le célèbre conte ésotérique du poète mystique persan Attâr dans lequel trente oiseaux partent en quête de leur roi, l'oiseau légendaire Simorgh... pour découvrir finalement qu'ils le portaient en eux.

Les bienfaits de la prière matinale se manifestent aussi bien, sur le plan matériel, dans le déroulement de notre journée. Si dès le réveil nous nous laissons assaillir par les soucis du jour, la précipitation, l'angoisse, nous arriverons déjà entamés par le stress sur notre lieu de travail, ou simplement parmi les êtres proches au petit déjeuner. La prière du matin désamorce nos appréhensions et nous redonne confiance.

Les bénéfices psychologiques de la prière du soir vont de soi. S'il est un moment où il faut se débarrasser de la pollution mentale, c'est bien à l'instant de s'endormir. Avant d'en appeler aux somnifères ou calmants, *« parlez en votre cœur, sur votre couche faites silence*» (Psaume 4). Ce silence empêchera votre esprit de se voir tourmenté de rêves et de cauchemars, et les puissances d'en haut veilleront sur votre sommeil.

Bien entendu, tous ces «exercices» ne seront profitables que si vous tordez le cou une fois pour toutes à ce doute qui voudrait vous souffler: «Tout cela est inutile, je n'y parviendrai pas... Et puis à quoi cela rime-t-il?» Sachons-le, ce doute fait partie de la peur, c'est lui qu'il faut vaincre en premier. Je dis et je répète que les résultats sont probants et rapides. Chose extraordinaire, le stress nous quitte lentement, comme une baudruche qui se dégonfle. Sur le plan intellectuel, on ne tarde pas à constater la différence. Les pensées parasites disparaissant, il ne reste que l'essentiel. Débarrassé de ses scories, le vif-argent de notre esprit a retrouvé la netteté de ses reflets. Nous avons un autre regard sur le monde, un regard qui relie les choses. On s'aperçoit que celles-ci ne sont pas hétérogènes mais que tout est homogène, que nos réactions négatives embrouillées étaient à l'origine de tel ou tel problème dans notre vie sentimentale ou professionnelle... En calmant le jeu/je, on calme tout, et l'on voit clair. On acquiert la lucidité. Non pas une lucidité «féroce», mais une clairvoyance pleine d'apaisement.

Les déséquilibres intérieurs s'atténuent, les problèmes ne nous touchent pas de la même façon. Pourtant je n'ai pas perdu le sens de la réalité, bien

au contraire : je continue à faire mon travail, à créer,
à donner des interviews, à recevoir des gens, mais
dans un état différent, un état de paix intérieure,
d'acceptation des choses. On s'aperçoit aussi qu'autour de soi, les autres se calment. Les gens agités,
qui s'empoisonnent la vie de soucis, vous regardent
soudain d'une autre façon et vous disent : «On se
sent bien à côté de vous !» ou : «Quand je parle, on
sent que vous écoutez.» Une espèce de quiétude
vous gagne, comme un long fleuve qui apaise votre
entourage.

Tel est le prodige accompli par la prise de position du corps et la prise de possession du mental...
Et cela vient assez vite lorsqu'on a franchi l'étape
du doute. Alors pourquoi ne pas essayer ? Cela ne
coûte rien, et c'est à la portée des enfants. Sachez
retrouver la fraîcheur de l'enfance, et la disponibilité des esprits non tortueux. C'est eux que privilé-
giait le Christ en disant : *«Laissez venir à moi les
enfants et les simples en esprit.»*

CHAPITRE TROISIÈME

NETTOYER LA DEMEURE

*Quand le temple sera consacré,
ses pierres mortes redeviendront
vivantes, le métal impur sera trans-
mué en or fin, et l'homme recou-
vrera son état primitif.*

Robert Fludd,
Tractatus theologo-philosophicus

Vous avez pratiqué avec une certaine constance les exercices destinés à « calmer le jeu/je », vous vous êtes absorbé dans la méditation, vous en avez même déjà tiré quelques bénéfices concrets... Et pourtant survient une certaine déception. En fait, vous êtes parvenu à un stade où vous vous sentez freiné, incapable de profiter pleinement de ces diverses techniques d'apaisement. Une sorte de vrombissement désagréable résonne en vous, perturbant avec plus ou moins d'intensité votre silence intérieur. Dans votre tentative de mise au diapason de votre être, vous n'arrivez pas à faire le « la » parfait. Tout cela est normal, prévisible même. Le sentiment d'harmonie dont vous devriez faire l'expérience se trouve en effet entravé par un obstacle de taille : votre corps refuse de suivre le mouvement, il traîne lamentablement les pieds.

À vrai dire, ce n'est pas votre organisme lui-même qui vous alourdit, mais les impuretés dont il est surchargé. Les alchimistes savaient bien, dans leur quête de l'or fin, qu'une partie du travail consistait à parfaitement préparer la matière. Déjà, en tenant bien droite votre colonne vertébrale, vous avez contribué à rétablir une meilleure circulation des énergies, mais le grand nettoyage reste à faire. Il faut encore évacuer tous ces indésirables que sont la nicotine, l'alcool ou les drogues qui circulent dans vos veines, toutes formes de toxines enfin, dues à une alimentation inadéquate et globalement trop négligée. Quand je dis qu'« il faut évacuer », loin de moi l'idée de vous prescrire quoi que ce soit. Mais si vous avez mené à bien vos premiers exercices de méditation, vous avez certainement découvert que, afin d'évoluer vers une réelle transformation, le « nettoyage de la demeure » devient une nécessité impérieuse...

Curieusement, la plupart des gens s'échinent à faire le trajet inverse : ils s'infligent un chapelet de règles diététiques avant même de se lancer dans la méditation. À mon sens, c'est mettre la charrue avant les bœufs et se soumettre à une discipline vaine car non comprise. On se persuadera bien plus volontiers de l'importance de son entretien physique lorsqu'on aura effectué les premiers pas dans la méditation... et pris conscience de ses blocages corporels.

Le premier secteur sur lequel nous pourrons alors intervenir, c'est notre alimentation. « *L'estomac accueille toute sorte de nourriture, mais tel aliment est meilleur qu'un autre* », lit-on dans l'Ecclésiastique (XXXVI, 18). La médecine indienne considère pour sa part les aliments comme de véritables médicaments, capables de nous garder en bonne santé ou de nous affaiblir lorsque nous mangeons sans discernement. À nous de faire le tri...

« Tiens ta lyre accordée », dit le poète antique, si tu veux entendre vibrer en toi la musique des sphères. Car les forces célestes descendent vers nous, mais encore faut-il être en mesure de les accueillir et les héberger comme il convient. Ainsi Hermas de Cumes, un des premiers Pères apostoliques, écrivait au Ier siècle, en comparant ces puissances célestes à de jeunes Vierges : « *Je vois que ces Vierges se plaisent en ta demeure, seulement nettoie-la bien ! Elles auront plaisir à habiter une maison propre, car elles sont elles-mêmes pures, chastes, actives. Tant que la propreté régnera en ta demeure, elles y habiteront.* »

Je vois d'ici les mécréants sourire. Que leur importe d'être habités par les Vierges et autres forces célestes, quand ils recherchent d'abord le bien-être ici-bas ? Et pourtant, ces mêmes incrédules se sentiront troublés, envieux, à la vue de certaines personnes en parfaite harmonie avec elles-mêmes, « protégées » semble-t-il, « rayonnantes ». Alors, au nom du Ciel, si les voies du Seigneur vous paraissent inaccessibles, lointaines, « pour plus tard », n'entravez pas les routes des énergies divines dans votre enveloppe corporelle du Présent ! Le corps, l'esprit et l'âme sont intimement liés. Prendre soin de son corps, c'est libérer l'esprit pour les contingences quotidiennes, puis élever son âme vers la joie surhumaine.

Ce n'est pas pour rien que toutes les religions se sont abondamment occupées de nous donner des conseils quant à notre alimentation et à notre hygiène de vie en général. Certes, ces règles varient d'une obédience à l'autre, elles dépendent du climat, de traditions anciennes, ou d'interprétations multiples des textes sacrés. Mais nous avons là à notre disposition toute une pratique méticuleuse. Trop méticuleuse ? « Après tout, pourquoi la religion se mêle-t-elle de savoir ce que je vais manger et comment je dois le manger ? Que la religion parle à mon âme, sommes-nous tentés de dire, je me chargerai comme je l'entends de sustenter mon corps. » Ceux que cette apparente ingérence du spirituel dérange sont prompts à invoquer les paroles célèbres du Christ, rapportées dans l'Évangile de Matthieu (VI, 31-32) : « *Ne vous inquiétez donc pas en disant : Qu'allons-nous manger ? qu'allons-nous boire ? de quoi allons-nous nous vêtir ? Ce sont là toutes choses dont les païens sont en quête.* » C'est oublier cependant que le Christ ne dit pas «mangez et buvez n'importe quoi, habillez-vous n'importe comment ». Par les paroles citées plus haut, il visait d'abord à écarter notre peur stérile du lendemain, en nous rassurant sur le fait que la providence divine fournira tout ce dont nous avons besoin. Mais il nous reviendra la tâche délicate d'en faire bon usage. C'est-à-dire de nous préparer, physiquement, à recevoir l'Esprit...

Si les Textes et traditions se sont préoccupés de régime alimentaire, idée apparemment légère et sujette à variation, c'est qu'il se joue là quelque chose d'essentiel. Dans ses *Exercices spirituels* conseillés aux retraitants, Ignace de Loyola ne craint pas de s'attarder sur les « Règles sur la nourriture à observer pour l'avenir ». Il ne s'agit pas pour lui d'un dressage coercitif de notre comportement naturel, mais bien de la prise de conscience que dans cette pratique quotidienne, presque triviale, s'accomplissent à la fois la maîtrise de notre être et notre relation au monde. Si nous traitons si mal notre organisme, de nos jours, faut-il s'étonner que nous soyons aussi négligents à l'égard de notre environnement ? Notre attitude à l'égard de l'un et de l'autre relève de la même inconscience : nous les détruisons à petit feu, nous les contaminons, nous leur injectons des poisons mortels, et surtout nous refusons de reconnaître l'urgence de la situation. Souvenons-nous pourtant que la Bible nous incite à la vigilance, car Dieu pourra venir dans notre demeure à l'improviste, « comme un voleur »...

Si nous commencions par nous débarrasser de ces poisons flagrants, dont la nocivité est reconnue par tous, le tabac et l'abus d'alcool ? Dans *Trajectoire*, je me contentais de relever cette « aberration » qui pousse nombre de gens à obstruer leurs poumons, alors que ces derniers sont le premier signe de notre consubstantialité au Cosmos. Si les fumeurs ou les alcooliques refusent d'admettre les risques encourus, grand mal leur fasse, étais-je alors tenté de dire. C'était manquer de compassion. N'est-il pas possible de montrer une direction à tous ceux qui voudraient renoncer à ces nuisances ? Si.

Car c'est là que nos efforts pour apaiser l'agitation mentale vont se révéler payants. D'abord parce que nous ne serons pas longs à mesurer ce que nos consommations de tabac, d'alcool ou de drogue doivent à notre ennemi le stress. Tous ces produits toxiques sont avant tout des supports de la peur, et d'ailleurs les usagers en sont conscients, pour la plupart. C'est l'angoisse – panique ou sourde – qui fait sauter sur un paquet de cigarettes ou sur une bouteille de whisky. Et c'est bien pour fuir une réalité jugée inquiétante ou morose que certains choisissent de s'évader dans les paradis artificiels, quitte même à n'en plus sortir.

Malheureusement, il ne suffit pas d'avoir conscience de notre dépendance, ni même de ses effets lentement destructeurs, pour nous défaire de nos mauvaises habitudes. Ce serait trop facile. C'est pourtant l'erreur tactique que commettent tous ceux qui placent l'obligation d'abstinence comme condition *sine qua non* des premiers exercices de méditation. Il y a là une certaine logique, malheureusement vouée à l'échec. Les fumeurs connaissent les effets nocifs du tabac, ils savent que chaque cigarette rogne sur leur longévité, qu'elle est un clou de plus dans leur cercueil : on leur a présenté en images chocs des poumons noircis et rongés, on les a menacés de tous les cancers, on a essayé de les culpabiliser, de les taxer... Rien n'y fait. Pourquoi une telle résistance à la plus évidente raison ? Justement parce que la raison n'a rien à faire ici...

En revanche, lorsque, à l'occasion d'une expérience de méditation, vous aurez véritablement *ressenti*, dans chacune de vos cellules, que la nicotine est un goudron épais qui encrasse le sanctuaire du cœur et les poumons, alors que la respiration est une de nos principales portes d'ouverture vers l'infini, vous aurez *envie* de renoncer à la cigarette. Tous les thérapeutes admettent que le succès d'une cure de désintoxication tient à la ferme et libre décision prise par le dépendant. Cette décision, vous allez la prendre non pour faire plaisir à votre conjoint ou pour vous déculpabiliser, mais pour accéder – vous – à une forme d'élargissement, d'épanouissement entrevu dans vos méditations. Les possibilités de rechute dues à l'entourage ou à un moment de faiblesse ne seront bien sûr pas complètement écartées, mais un fait est certain : c'est dans ce ressenti que réside la solution. Malheureusement, je ne peux pas vous en convaincre de façon absolue, car je ne pourrais le faire une fois de plus que de façon rationnelle, à l'aide de mots abstraits. Mais je vous garantis que lorsque vous aurez effectivement éprouvé la joie de sentir votre inspir/expir se mettre en harmonie avec la « respiration » du Cosmos, vous n'aurez de cesse d'accroître les capacités de vos bronches. Commencez par rechercher cette perception très pointue de votre corps, jusque dans ses moindres fibres, et vous y puiserez ensuite la motivation nécessaire pour l'entretenir.

La même méthode peut s'appliquer à l'abus d'alcool, qui embrume notre esprit, fausse notre appréhension du réel et nous rend accessibles à toutes les mauvaises influences. Toutefois, en prenant appui sur la Bible, je me garderai de bannir radicalement le vin, boisson divine par excellence, symbole de la connaissance initiatique. Mais il faut surveiller étroitement sa consommation, en se souvenant que notre seuil de tolérance est beaucoup plus bas que nous ne l'imaginons, et que si les maîtres soufis pouvaient prétendre préférer « la taverne à la mosquée », c'était uniquement parce qu'ils parlaient d'ivresse spirituelle et non d'ivrognerie...

Chaque fois que vous serez tenté de reprendre une cigarette ou de boire un verre de trop, placez-vous en position de méditation, pratiquez les exercices de respiration et d'écoute. Vous pourrez ainsi fortifier votre volonté, calmer l'aiguillon du stress et surtout raviver vos sensations corporelles, qui constituent en dernière analyse votre meilleure défense.

Chacun sait que les sportifs de haut niveau ne fument pas et qu'ils consomment peu ou pas d'alcool. Pensez-vous vraiment qu'il s'agisse pour eux d'un renoncement douloureux ? N'ont-ils pas plutôt écarté « naturellement » tout ce qui pouvait porter atteinte à leur potentiel physique ? Ils n'ont pas eu à résister à la tentation, ni à lire des manuels de médecine pour se convaincre : ils ont simplement acquis une connaissance sensible de ce qui est mauvais pour eux. Nous devrions en faire autant. Sur les routes de l'Inde, six siècles avant Jésus-Christ, Bouddha expliquait ainsi sa doctrine : « *Ne vous laissez pas guider par des rapports, par la tradition ou par ce que vous avez entendu dire... Mais lorsque vous savez par vous-mêmes que certaines choses sont défavorables, fausses et mauvaises, alors renoncez-y... Et lorsque par vous-mêmes vous savez que certaines choses sont favorables et bonnes, alors acceptez-les et suivez-les.* » Ignace de Loyola ne disait pas autre chose lorsqu'il nous demandait de « *sérieusement examiner ce qui est utile, pour le prendre, et ce qui est nuisible, pour le supprimer* ».

NETTOYER LA DEMEURE

Sous les apparences d'une lapalissade, il y a là une ligne de conduite d'une profonde justesse et d'une absolue simplicité... À condition de parvenir à cette sélection « par nous-mêmes », c'est-à-dire par l'expérience, dans le « ressentir ». Première conséquence : on découvre que surveiller son alimentation n'exige aucun sacrifice. Comment pourrait-on parler de sacrifice alors que nous ne faisons que nous éloigner d'un mode de vie que nous aurons reconnu comme mauvais, contraire à notre épanouissement ? Nous touchons là un des grands enjeux de notre hygiène physique : prendre soin de son corps, c'est déjà choisir, à chaque instant, la direction que nous voulons emprunter. C'est donc s'engager sur la Voie.

Pour notre malheur, nous avons renié progressivement cette Voie, de façon de plus en plus accablante. Les premiers hommes se nourrissaient uniquement de fruits et de légumes, puis ils ont mangé les produits des animaux vivants (lait, œufs), avant de basculer dans la catégorie d'êtres carnivores. L'entrée en « civilisation » leur a fait découvrir l'usage du tabac et inventer l'alcool. Récemment, nous avons franchi un nouveau pas avec les médicaments et les drogues synthétiques, demain les aliments synthétiques...

Jusqu'où devons-nous remonter le courant de cette évolution négative ? Et comment allons-nous effectuer le tri de nos aliments quotidiens ? Surtout, il va falloir résister aux tentations, faire taire nos désirs, en sachant que notre corps éprouve un certain penchant naturel pour la mollesse et les plaisirs immédiats...

Faut-il dès lors se résoudre à une stricte ascèse ? Ce seul mot nous fait aujourd'hui frémir, car il est devenu synonyme de mortification et de pénitence. Il évoque tout un cortège de privations dont l'efficacité serait proportionnelle à la sévérité. On sait qu'à trop vouloir mortifier la chair pour purifier l'âme, toute une tradition religieuse a fini par flageller le corps, considéré comme le siège de ces puissances trompeuses que seraient nos sens, source de tous les vices, principal obstacle à notre élévation spirituelle.

Par ailleurs, nous avons en tête les images d'Épinal de ces ermites et autres « Pères du désert » qui renonçaient à tout pour aller se réfugier dans une grotte. Un peu d'eau fraîche, une poignée de fèves et quelques racines, éventuellement un pagne autour de la taille, voilà qui leur suffisait largement ! Ce détachement extrême nous fascine, mais la plupart d'entre nous sentent bien qu'ils ne sont pas faits pour ce genre de vie. Rappelons du reste que la plupart des saints chrétiens ou avatars hindous qui contraignaient ainsi leur corps le faisaient pour prendre sur eux la souffrance des autres, sacrifiant leur santé à un bien supérieur. Rares sont ceux qui peuvent devenir leurs émules...

En revanche, on voit apparaître de nos jours une autre famille d'ascètes, moins intransigeants peut-être, plus policés, mais qui à mon sens s'engagent dans une impasse. Gourous divers, adeptes de la macrobiotique ou écologistes fanatiques voudraient nous nourrir uniquement de plantes, de graines ou de fibres, espérant probablement nous faire revenir à l'état de la Terre au troisième jour de la Création. Ils invoquent l'exemple de certains sages indiens ou de la fameuse secte des Esséniens – dont serait issu le Christ –, tous si stricts dans leur mode de vie. Faut-il aussi épouser la doctrine du jaïnisme, ce courant hindouiste particulièrement rigoureux qui va jusqu'à interdire la consommation des légumes poussant en terre, sous prétexte qu'en les déterrant d'un coup de bêche on pourrait assassiner quelques insectes ?

Se nourrir exclusivement de graines convient probablement à certains sages qui se consacrent à la contemplation. C'était bon peut-être à une époque où les hommes étaient sédentaires. Mais pour nous, qui sommes actifs, qui voyageons, qui sommes soumis à certaines contraintes sociales, ce régime draconien est impossible à suivre... et de toute façon largement insuffisant pour nos organismes.

De surcroît, les « nouveaux ascètes » restent prisonniers d'une logique de privation, et donc de peur. Le corps ne figure plus un tremplin possible vers une réalité supérieure, mais le signe de notre condition de mortels, et par conséquent un obstacle qu'il faut à tout prix dépasser. Consciemment ou non, les nouveaux ascètes reprennent à leur compte ce péché de gourmandise que les premiers Pères de l'Église avaient inscrit en tête des péchés capitaux, avant de le reléguer en avant-dernière position, devant la luxure. Péchés de « chère » et de « chair »... Car si les moines repoussaient avec abomination la *carnis*, c'était aussi bien la chair des animaux que leur propre corps. La bouche n'est plus qu'un gosier, une *gula* satanique, voie d'accès de toutes les souillures du monde extérieur, qui nous rapproche de la bête. Ainsi la nourriture, longtemps considérée comme un bienfait du Ciel, relève pour les « déviants » d'une tentation sensuelle à proscrire. Tous ces ascètes inquiets finissent par s'effrayer des bonnes choses, s'imaginant que le Diable les a placées sous leur nez comme autant d'appâts dans un piège. Résultat, nos fanatiques deviennent tellement obsédés par l'idée de se détacher du monde que toute impression agréable suscite en eux un terrible sentiment de culpabilité : ils mangent pour vivre, mais surtout ils suppriment le reste, en premier lieu le plaisir, forcément suspect... Et c'est en affichant un comportement aussi morbide et contraignant que l'on voudrait convaincre les foules de s'engager dans une recherche pour parvenir à un mieux-être ? On a beau savoir que le voyage initiatique n'a rien du périple gastronomique, il y a tout de même de quoi refroidir les meilleures volontés...

Le plus étrange, c'est que contrairement à ce que laisse croire cette dangereuse dérive, les grandes religions n'ont jamais prôné la stricte ascèse comme la voie privilégiée. Avant de devenir le Bouddha, le jeune prince Gautama vivait dans le luxe de son palais au nord de l'Inde. N'y trouvant pas le bonheur, il renonça brusquement à tout pour se soumettre pendant plusieurs années aux pires privations... avant de s'apercevoir finalement que l'ascétisme en lui-même ne menait à rien et que cette souffrance physique n'était pas nécessaire à l'Éveil. Pour le bouddhisme, on peut très bien se réfugier au fin fond du désert et n'en être pas moins animé de pensées impures, comme on peut vivre au cœur d'une ville et rester pur. Même conception dans l'islam, le Prophète n'ayant jamais encouragé formellement la vie monacale et ses privations.

En ce qui nous concerne, gardons-nous de tout extrémisme, en matière d'alimentation comme ailleurs. Lorsqu'on traite d'hygiène de vie, le prohibitionnisme conduit toujours au résultat inverse de celui escompté. Un régime imposé a tendance en effet à se muer en carcan, en inhibition. Malheureusement, trop de gens essaient encore de se débarrasser de leurs mauvaises habitudes alimentaires en se lançant dans une attitude radicale, par exemple dans un végétalisme strict. Ils deviennent sectaires, souvent agressifs dans leur prosélytisme. Sans s'en apercevoir, ils se sont enfermés dans une déviation. Sachez qu'en refusant catégoriquement de manger tel poisson, tel plat pourtant appétissant, vous vous rendez prisonniers d'un nihilisme aussi dangereux que l'anarchie des grands excès. Ne tombons donc pas dans le systématisme grotesque véhiculé par certaines sectes. Si votre régime vous apparaît comme une restriction insoutenable, renoncez-y, je vous garantis que vous n'êtes pas sur la bonne voie. On ne se libère pas d'un désir en disant « je ne veux surtout pas voir cela » : on risque de l'enfoncer en soi et d'en faire un ferment de pourriture. À quoi bon bannir une mauvaise habitude, si c'est pour passer son temps à la regretter ? Tâchons donc d'abandonner les choses lentement, avec naturel, dans la joie, parce que nous avons pris conscience qu'elles nous étaient inutiles, ou nuisibles. Mais le jour où l'on ressent brusquement le besoin de manger tel ou tel plat, pourquoi se priver ? Fuir les excès ne nous oblige pas par exemple à déserter les repas de fête comme des grincheux, car il s'agit d'honorer un ami ou un parent, de communier avec les autres dans le même bonheur de partage.

Je me demande si le « fondamentalisme » diététique qu'adoptent certains ne relève pas de la simple excitation des néophytes. Or on sait que l'excitation obscurcit toujours la pensée... Ces extrémistes ne font en somme que tourner en passion nouvelle ce qui à l'origine devait être l'antidote des passions. Ils ne voient pas qu'il est tout aussi facile de s'attacher à ce genre de pratique rigoriste qu'à n'importe quelle déviance ou doctrine erronée. Quand comprendrons-nous qu'il ne suffit pas de changer radicalement sa façon de manger ou de s'habiller pour opérer une tranformation authentique ? Si la recherche doit nous métamorphoser en phénomènes, elle manque son but.

Et non seulement cette démarche s'avère stérile, mais elle risque d'avoir des conséquences fâcheuses. À plus ou moins brève échéance, nous supporterons en effet le contrecoup de cette violence infligée à notre corps. C'est une loi universelle et irrévocable. Le choc en retour est d'une force inouïe, comme la balle de pelote basque qui revient deux fois plus vite après avoir heurté le mur. Les privations, les désirs refoulés finissent par nous ronger de l'intérieur et entraîner de graves maladies.

NETTOYER LA DEMEURE

« *À force de se dresser sur la pointe des pieds*, prévient Lao Tseu, *on perd son équilibre.* »

Avançons donc avec précaution et n'entourons pas notre vie quotidienne de règles absurdes. On sera peut-être surpris d'apprendre que l'islam, volontiers soupçonné de se montrer scrupuleux en matière d'alimentation, prône en fait une éthique de mesure, que l'on pourra retrouver dans toutes les grandes religions. « *Ne déclarez pas illicites les bonnes choses que Dieu a rendues licites pour vous et ne commettez point d'excès car Dieu n'aime pas ceux qui dépassent les limites.* » Dans la sourate V, intitulée *la Table*, on lit ces phrases apaisantes : « *Dieu ne veut vous imposer aucune charge ; mais il veut vous rendre purs et mettre le comble à ses bienfaits, afin que vous lui soyez reconnaissants* » (verset 6). Et, deux versets plus haut : « *Ils te demanderont ce qui leur est permis. Réponds-leur : tout ce qui est bon et délicieux vous est permis.* »

Mais gardez-vous de mal interpréter ces phrases en en faisant le chemin du laxisme ! Ce qui est « bon et délicieux » doit l'être avant tout pour votre organisme. Autrement dit, tout est permis, mais tout n'est pas profitable. D'où la nécessité de réintroduire une certaine dose de discipline. Une discipline qui, pour être efficace, doit s'accompagner de persévérance, car seule la répétition des gestes peut instituer les bonnes habitudes.

En fait, il nous faudrait parvenir à une redéfinition de l'ascèse, en lui ôtant ce qu'elle peut avoir de sacrificiel. En grec, *askesis* ne signifie nullement mortification mais « exercice », « effort », « exploit ». Le mot fut d'abord utilisé en référence non pas aux ermites efflanqués mais aux athlètes de l'Antiquité. À plusieurs reprises, la Bible donne de l'ascète l'image d'un sportif ou parfois d'un soldat. Dans une telle acception, l'ascèse ne peut viser à piétiner la chair pour élever notre âme. Il s'agit d'un effort, d'un travail réglé qui doit profiter autant à notre corps qu'à notre esprit. Comment en effet espérer pacifier le second en malmenant le premier ?

Abordons notre régime comme de vrais athlètes : il convient d'affûter notre potentiel physique et de le maintenir au plus haut niveau. Cela signifie adopter une vigilance de tous les instants, mais pour rendre le corps souple et obéissant, non pour l'éreinter. Si nous voulons oublier notre enveloppe corporelle pendant nos exercices de méditation, il faut lui permettre de fonctionner au mieux, le plus librement et paisiblement possible. Il s'agit en outre d'assurer la bonne rotation de nos chakras, sans échauffement des courroies, et sans mettre de bâtons dans les roues, ce qui, pour notre simple santé, se révélera déjà bénéfique.

Cet effort-là relève en fait de la « cure de désintoxication », au sens propre du terme. Ainsi Diogène pratiquait-il l'ascèse avec pour ligne de conduite un retour à la nature, donc le rejet des effets néfastes de la civilisation. Il faudrait retirer au corps comme à l'âme tout ce qui peut les encombrer. Alors le métal vil pourra se muer en métal noble, et l'homme aura l'espoir d'accompagner l'élévation vibratoire du Cosmos...

NETTOYER LA DEMEURE

*
**

Si l'entraînement sportif obéit forcément à certaines règles, on sait qu'il doit néanmoins être taillé sur mesure pour chaque athlète. En guise de conseil diététique, et pour éviter tout dogmatisme, je me contenterai donc d'exposer mon propre régime alimentaire. Tout en espérant convaincre le plus grand nombre de lecteurs...

Très tôt, j'ai été amené à supprimer complètement la viande de mes menus. À vrai dire, je n'ai eu aucun mérite puisque je ne la supportais pas : chaque fois que j'en mangeais, j'éprouvais de terribles brûlures au niveau des chakras, tout le long de la kundalini. Sans le savoir, je faisais l'expérience des inflammations que provoquent les toxines sur nos centres énergétiques subtils.

Aujourd'hui, mon régime est donc essentiellement végétarien, mais sans rigueur excessive puisque je mange encore du poisson et exceptionnellement de la volaille. La Bible m'a d'ailleurs éclairé sur ces choix alimentaires. Dans la Genèse, il est dit que les végétaux ont été créés le troisième jour, que les oiseaux et les animaux marins sont apparus le cinquième jour ; mais les « bestiaux, bestioles, bêtes sauvages selon leurs espèces » ont été créés le sixième jour, c'est-à-dire *en même temps* que l'homme. Cette appartenance à une même « génération » exclut à mes yeux de façon claire la consommation de ces animaux.

Mais encore une fois, il n'y a pas de recette infaillible. Bien que convaincu d'avoir atteint un certain équilibre physique grâce à cette hygiène de vie, je me garderai de demander à quiconque de m'imiter du jour au lendemain : nous avons besoin de découvrir les choses par nous-mêmes. Ainsi pour le régime, on avance à tâtons, on apprend que tel ou tel ingrédient ne nous réussit pas, en telle ou telle quantité, qui ne sera pas celle du voisin. C'est déjà ce que nous disait l'Ecclésiastique (XXXVII, 27-28) : « *Mon fils, pendant ta vie éprouve ton tempérament, vois ce qui t'est contraire et ne te l'accorde pas. Car tout ne convient pas à tous et tout le monde ne se trouve pas bien de tout.* »

Je reste persuadé que si vous pratiquez *réellement* les exercices de méditation, vous finirez par découvrir que ces crispations sourdes à l'intérieur de vous, cette excitation que vous ressentez proviennent en partie de la chair de ces animaux stressés que l'on a menés à l'abattoir. Un jour, vous vous direz : « Je dois évacuer ce stress, je vais laisser tomber peu à peu la viande rouge pour manger plutôt du poisson ou de la volaille. »

Il y a là un subtil effort de repérage de nos propres réactions. Nous devons tout passer sous l'œil de notre microscope personnel. Prenons garde aux habitudes familiales, ou aux coutumes nationales que nous remettons rarement en question. Combinaison des menus, heure des repas, vitesse à laquelle on mange, etc. N'acceptons rien que nous n'ayons nous-mêmes appréhendé. Nous pourrons affiner notre régime en fonction de nos besoins, et renoncer librement à certaines choses, sans avoir l'impression de nous soumettre à une quelconque contrainte.

NETTOYER LA DEMEURE

Là encore, je dois insister sur le caractère progressif de cette mise au point. Les néophytes qui brûlent les étapes sont comme ces machinistes qui enfournaient trop de charbon dans le foyer de leur locomotive, ce qui les exposait à des phénomènes de surchauffe dangereuse. Ils « brûlent du karma » à grandes pelletées. En ce qui nous concerne, nous devons appliquer la prudence de l'alchimiste Happelius, qui écrivait dans ses *Aphorismi Basiliani* : « *Fais d'abord au feu doux, comme si tu n'avais que quatre fils à ta mèche, jusqu'à ce que la Matière commence à noircir. Puis augmente, mets alors quatorze fils. La Matière se lave, elle devient grise. Enfin mets vingt-quatre fils et tu auras la blancheur parfaite.* »

Un des meilleurs combustibles de nos impuretés physiques, c'est le jeûne. Un jeûne qui malheureusement est tombé en désuétude, puisqu'il a subi le même sort que l'ascèse, se trouvant rejeté du côté de la pénitence morbide. L'abstinence volontaire d'aliments est pourtant un moment privilégié, qui permet la « vidange » de notre machine corporelle.

Personnellement, je jeûne une fois par semaine. Je trouve là une pratique excellente, un nettoyant d'une efficacité formidable. Ce jour-là, je bois beaucoup d'eau, pour purifier aussi bien le corps que le cerveau : je sens que mes idées coulent de façon plus limpide, et que le bon fonctionnement de mes organes se trouve stimulé.

Sans être des périodes de jeûne absolu, les longues « pauses » d'abstinence comme le carême chrétien ou le ramadan musulman sont l'occasion d'une purification en profondeur. Le principe est le même : élimination des toxines, développement d'une certaine endurance physique et morale, et rapprochement symbolique de l'humain avec les anges, qui n'absorbent aucune nourriture.

Aujourd'hui, l'Église a pratiquement supprimé les privations alimentaires liées au carême. Évidemment, n'attendez pas que je m'insurge contre la levée d'interdits formels. Mais je regrette que l'on ait perdu le sens véritable, et donc l'efficacité, de cet outil de transformation. Souvent, le jeûne n'a pas été complètement oublié, mais faussé au point d'être méconnaissable. On sait par exemple que le ramadan interdit de manger, de boire ou fumer du lever au coucher du soleil, mais que nombreux sont les fidèles qui l'accomplissent comme une obligation, pour s'adonner ensuite à d'excessifs banquets nocturnes. Et si notre Vendredi saint est prétexte à manger du caviar et boire du champagne, je ne suis pas sûr qu'il ait atteint son objectif... Zacharie nous fait entendre que Dieu n'est pas dupe de cette hypocrisie : « *Est-ce pour l'amour de moi que vous avez multiplié les jeûnes ? Et quand vous mangiez et buviez, n'étaient-ce pas vous, les mangeurs et les buveurs ?* »

Encore une fois restons simples. Ne faisons pas carême comme on entre en bigoterie. Soyons même pragmatiques : si les religions s'accordent à prôner ces périodes de « régime », c'est aussi, dans un premier temps, pour la meilleure santé de chacun. Vous n'avez pas les moyens de vous offrir une cure de thalassothérapie diététique ? Profitez du carême –du ramadan ou des jeûnes ponctuels du judaïsme–

pour juguler vos pulsions boulimiques et vous rendre compte que les débauches de nourriture, d'alcool ou de tabac ne compensent en rien votre stress mais ne font au contraire que l'aggraver.

Dans un deuxième temps, mettez-vous en harmonie avec la raison profonde de ces sevrages alimentaires. L'abstinence quadragésimale rappelle celle de Jésus pendant quarante jours dans le désert, après son baptême. Quarante est un nombre symbolique que l'on retrouve fréquemment dans les rituels mortuaires de toutes les civilisations : il désigne le nombre de jours nécessaires pour que l'âme d'un mort quitte complètement son enveloppe corporelle. Cette « mise en quarantaine » constitue une transition dans le cycle de vie et de non-vie. C'est par excellence le nombre de l'épreuve et de la préparation. Ainsi l'abstinence volontaire d'aliments devient un rite de passage, qui figure la « mort du vieil homme ». Cette abstinence est donc synonyme d'un deuil, mais un deuil joyeux précédant une renaissance, qui ne devrait pas susciter la tristesse austère qu'on lui associe normalement. Matthieu nous exhorte à ne pas la pratiquer en affichant une contrition de convenance (VI, 16-18) : *« Quand vous jeûnez, ne vous donnez pas un air sombre comme font les hypocrites : ils prennent une mine défaite, pour que les hommes voient bien qu'ils jeûnent. En vérité je vous le dis, ils tiennent déjà leur récompense. Pour toi, quand tu jeûnes, parfume ta tête et lave ton visage, pour que ton jeûne soit connu, non des hommes, mais de ton Père qui est là, dans le secret ; et ton Père, qui voit dans le secret, te le rendra. »*

LE TEMPS PRÉSENT

Saurez-vous pratiquer le jeûne ou la privation dans la joie ? Je vous le souhaite car vous découvrirez alors que le nettoyage de la demeure devient une véritable libération, physique et spirituelle, et que loin de nous enfermer dans un cocon de souffrance solitaire, il va nous ouvrir aux autres et nous illuminer de l'intérieur. Isaïe s'emporte ainsi contre les privations qui ne seraient qu'humiliation personnelle (LVIII, 5-8) : « *Est-ce là le jeûne qui me plaît, le jour où l'homme se mortifie ? (...) N'est-ce pas plutôt ceci, le jeûne que je préfère : défaire les chaînes injustes, délier les liens du joug, renvoyer libres les opprimés et briser tous les jougs ? N'est-ce pas partager ton pain avec l'affamé, héberger chez toi les pauvres sans abri, si tu vois un homme nu, le vêtir, ne pas te dérober devant celui qui est ta propre chair ? Alors ta lumière éclatera comme l'aurore, ta blessure se guérira rapidement, ta justice marchera devant toi et la gloire de Yahvé te suivra.* »

Un autre moyen – très efficace – de respecter la nourriture, et donc de ne pas l'absorber inconsidérément, est de se souvenir qu'elle est un don du Ciel. En conséquence, toute ingestion d'aliments doit devenir un acte sacré. L'homme sage glorifie aussi la Divinité par sa façon de manger.

L'immense majorité des Occidentaux vit entourée d'une telle abondance qu'elle a perdu l'habitude de remercier le Ciel pour sa générosité. Les civilisations anciennes avaient coutume de perpétuer par leurs offrandes le souvenir de cette bienfaisance céleste. Aujourd'hui, nul doute que quelqu'un qu'on surprendrait en train de prononcer son *benedicite* ou ses grâces avant et après son steak-frites passerait pour un doux imbécile, complètement anachronique. Pourtant cette attitude de révérence avait probablement du bon... Le Coran (sourate V, 114-115) raconte comment Jésus, le fils de Marie, adressa cette prière vers les cieux : « *"Dieu notre Seigneur, fais-nous descendre une table du ciel, qu'elle soit un festin pour le premier et le dernier d'entre nous. Nourris-nous." (...) Le Seigneur dit alors : "Je vous la ferai descendre mais malheur à celui qui, après ce miracle, sera incrédule ; je préparerai pour lui un châtiment le plus terrible qui fût jamais préparé pour une créature."* » Si nous avons le droit de manger « tout ce qui est bon et délicieux » c'est toujours « *en invoquant le nom du Seigneur* ».

Ne croyez pas que je me sois transformé en bénédictin ! Je ne demande pas de chevroter quelque formule magique en latin, les yeux pieusement baissés sur son assiette, ou de prendre une mine papelarde en rompant son pain. Surtout si c'est pour se jeter ensuite sur le repas avec la gloutonnerie d'un moine rabelaisien... Prenons simplement conscience du caractère sacré de la nourriture : nous ne l'avalerons plus comme des goinfres. Prêtons une plus grande attention à ces aliments qui vont fortifier notre corps, et dont les molécules vont se mêler aux nôtres.

Pourquoi ne pas profiter du repas pour nous rappeler que tout objet est symbole et manifestation de la Divinité ? Une attitude de révérence face à des objets aussi « triviaux » que des aliments périssables peut surprendre et paraître risible. Pourtant, le sage est celui qui ne se laisse pas duper par l'apparente vanité des choses et qui cherche constamment à décrypter les signes qui le relient au plan divin. Efforçons-nous de percevoir la substance derrière l'apparence, et d'entendre partout, dans le moindre objet, minéral, végétal, animal, chanter l'harmonie de la Création.

Manger devient ainsi un acte de participation à l'infinie ronde cosmique, une ouverture à une réalité supérieure. Fuir ou vilipender notre dimension matérielle ne nous transformera pas en saints. Notre travail consiste au contraire à réintégrer le spirituel dans tous les gestes de notre vie ! « Il ne s'agit pas de mépriser les choses, dit le philosophe Emmanuel Mounier, mais de savoir ce qu'elles feront pour nous. » Ce qu'elles peuvent faire, c'est nous rendre réceptifs à cette forêt de présences qui nous entourent et qui nous font des clins d'œil de l'au-delà, anges gardiens, guides célestes, tous disposés à nous tendre la main, à nous conduire vers la réalisation...

Lorsque notre intention est dirigée vers ces puissances divines, nos gestes deviennent source d'énergie. Et en mangeant de façon « sacrée », c'est-à-dire en pleine conscience de ces bienfaits qui nous sont offerts, cette énergie se trouve décuplée. Les éléments nutritionnels que nous absorbons ne se contentent plus de couper la faim : ils deviennent, comme le prétend la médecine indienne, de véritables remèdes et fortifiants.

Dès lors, ces aliments qui guérissent notre corps apparaissent comme le reflet d'une autre nourriture, spirituelle celle-là, manne céleste venue emplir notre âme. « *Je suis le pain descendu du Ciel* », annonce Jésus dans l'Évangile de Jean (VI, 41). « *Qui mange ma chair et boit mon sang a la vie éternelle... car ma chair est vraiment une nourriture et mon sang vraiment une boisson* »(55).

Le rôle de la véritable ascèse, tel qu'on le voit se dessiner désormais, serait donc moins de nous détacher du monde que d'éveiller notre attention à nos gestes quotidiens. Quelle vaste entreprise, et combien passionnante ! Développer notre prise de conscience à l'égard de toutes les activités de notre existence, jouir enfin de ce que nous avons là, à portée de main, sous les yeux, au présent...

Et quelle meilleure occasion avons-nous pour commencer que nos repas, ce rituel que nous répétons deux ou trois fois par jour, et qui représente l'un des axes centraux de notre relation au monde ? Pourtant la plupart d'entre nous passent à côté de ces instants. Nous avons tous observé ces gens qui mangent sur le pouce au restaurant, le journal coincé entre la carafe et la corbeille de pain. Ou nous sommes nous-mêmes comme cet homme ou cette femme qui avale son petit déjeuner en notant les rendez-vous importants de sa journée sur un coin de table. Évidemment, nous ne faisons bien ni l'un ni l'autre. Ce qui revient à dire que nous nous privons immanquablement du plaisir que nous pourrions trouver là.

LE TEMPS PRÉSENT

Le rythme de la vie moderne ne nous facilite pas la tâche. Nous évoluons désormais dans un environnement où tout nous est offert, où tout fonctionne en appuyant sur un bouton : commutateurs électriques, robinets d'eau froide ou chaude, robots ménagers... Rien de mal à se simplifier l'existence, au contraire. Mais reconnaissons que cette automatisation nous rend moins accessible le plaisir du geste créateur, qui caresse et transforme les objets les plus usuels. Pourquoi le fruit cueilli dans notre jardin nous semblera-t-il toujours meilleur que celui acheté au coin de la rue ? À cause de l'attention particulière que nous lui portons. Tâchons d'étendre cette attitude réceptive à tous les fruits que nous goûtons, et à tous les instants qui passent. Lorsque nous préparons nos repas, lorsque nous mangeons, nous devons nous efforcer d'être toujours *présents*. Redécouvrir le bonheur des gestes simples, voilà notre *askesis*, notre entraînement olympique – ou mieux, olympien.

Un novice demanda un jour à un maître zen s'il faisait un quelconque effort pour s'élever vers la Vérité. « Oui, je fais des efforts, lui répondit-on. – Lesquels ? – Eh bien, lorsque j'ai faim, je mange et, lorsque je suis fatigué, je dors. » Le novice s'étonna : n'était-ce pas là ce que tout le monde faisait ? « À cette différence près, expliqua le sage, que lorsque les gens mangent, ils ne mangent pas réellement, mais pensent à autre chose, de telle sorte qu'ils se laissent déranger dans leur tâche ; et lorsqu'ils dorment, ils ne dorment pas mais rêvent de mille et une chimères. C'est en cela qu'ils diffèrent de moi. »

NETTOYER LA DEMEURE

Par ses aspects concrets et cérémoniels, le repas est certainement le meilleur moment pour redécouvrir notre « être au monde ». Mais peu à peu, à mesure que nous aurons développé notre nouveau regard, nous devons étendre cet exercice à toutes nos activités quotidiennes. Idéalement, celles-ci deviendront en elles-mêmes une forme de méditation. Nous serons alors vigilants dans tout ce que nous faisons et disons : nous habiller, faire notre toilette, marcher dans la rue, travailler, rencontrer les autres...

Attention ! Je n'entends pas par là qu'il faille penser en permanence « je suis en train de faire ceci ou cela ». Une telle attitude relève du narcissisme et de l'autocomplaisance. Il faut en réalité s'abîmer, s'oublier dans ce qu'on fait, un peu comme un enfant entièrement absorbé dans ses jeux, ou comme l'artisan tout préoccupé par le soin qu'il met à atteindre le geste adéquat, à la fois précis et sans effort. Voilà qui représente, dans le travail, la meilleure recette de concentration.

Cette attitude ne signifie pas que nous devons fermer les yeux sur le passé et le futur : simplement nous les considérons différemment, toujours par rapport au présent. Comment pourrions-nous connaître un vrai plaisir de vivre, si nous n'apprenons pas à jouir de la seule réalité qui nous est offerte, ce présent ? « *Nous ne vivons jamais,* disait Pascal, *nous espérons de vivre et, nous disposant toujours à être heureux, il est inévitable que nous ne le soyons jamais.* » Tant que nous serons incapables de nous donner entièrement au présent, notre demeure, physique et spirituelle, se dévitalisera len-

tement. Bouddha nous a prévenus : « *En se préoc-
cupant de l'avenir et en se repentant du passé, les sots
se dessèchent comme des roseaux verts coupés au
soleil.* » Alors ne mourons pas idiots : tâchons de
bien nous enraciner dans le réel afin de puiser dans
la source de vie.

Parmi les plus grandes vertus, à côté de la discipline, de la patience, de la générosité, le bouddhisme place cette énergie joyeuse qui va muer
chaque seconde de notre vie en une célébration
enthousiaste. Nous avons une obligation à l'émerveillement. Essayons de faire nôtre la fameuse formule : « Désire tout ce que tu as et tu as tout ce
que tu désires. » Sachons nous *contenter* de ce que
nous avons, de ce que nous faisons, au sens plénier
du terme. Pour le cœur joyeux, nous dit la Bible, la
vie est un banquet perpétuel. Car la joie est dans
ce monde. Éclairée par cet émerveillement, notre
vie que nous croyions ordinaire devient soudain
plus spirituelle et plus inspirée que l'ascétisme le
plus « intellectuel »...

*« Qu'il suffit de peu à un homme bien élevé !
Aussi, une fois couché, il respire librement.
À régime sobre, bon sommeil,
on se lève tôt, on a l'esprit libre.
L'insomnie, les vomissements, les coliques,
voilà pour l'homme intempérant (...).
Écoute-moi, mon fils, sans me mépriser :
plus tard tu comprendras mes paroles.
Dans tout ce que tu fais sois modéré*

et jamais la maladie ne t'atteindra. »
L'Ecclésiastique (XXXI, 19-22)

Modéré : le mot est lancé, et pourtant on se trompe lourdement si l'on croit que je pourrais me satisfaire d'une morale du compromis. Éviter les excès ne signifie pas dans ma bouche réinventer l'eau tiède. Et mon « régime diététique » ne consiste pas à « s'autoriser un peu de ceci, mais jamais trop de cela ». Ce serait une ligne de conduite bien floue et mièvre, tout juste bonne pour les frileux ou les tartufes.

Il s'agit au contraire d'explorer nos réactions pour trouver toujours cette pointe effilée où se réalise l'équilibre parfait de notre organisme. C'est au fond la tempérance antique, le fameux « *in medio stat virtus* », qui n'est pas complaisance dans la médiocrité, mais tension vers la perfection : rejetant à la fois la lâcheté et la témérité, nous devons aiguiser notre courage.

Le vrai rôle de l'ascèse n'est-il pas en définitive de nous révéler la différence entre le mauvais usage des choses, ce que d'aucuns appellent la faute, et leur bon usage, qui nous met sur la Voie ? Et elle nous enseigne au passage que contrairement à ce que nous pensions peut-être au début, le vrai plaisir n'est pas du côté du péché...

Et tant mieux après tout si cela doit nous mener à une certaine frugalité ! Une des règles établies par Ignace de Loyola est la suivante : « *En évitant de nuire à sa santé, plus on fera de restrictions sur la nourriture normale, plus vite on parviendra au juste milieu qu'il faut garder dans le boire et le manger.* »

LE TEMPS PRÉSENT

Nous tâtonnons pour déterminer la quantité qui nous conviendra à chacun, mais il y a beaucoup à parier que celle-ci se trouve en deçà de nos habitudes actuelles. Ne savons-nous pas que nous sommes dans une société de consommation à outrance et de gaspillage ? Or le Tao fait de la frugalité l'un des trois trésors essentiels, aux côtés de la miséricorde et de l'humilité.

> *« Gorgés de boire, de manger,*
> *Nantis outre leurs besoins,*
> *Voies de brigandage*
> *Mais non pas la Voie. »*
>
> *Tao tê King,* chapitre 53

Le gaspilleur est celui qui fait un mauvais emploi des choses nécessaires à la vie, c'est un fauteur de troubles. Ses gestes tombent dans le désordonné, il introduit donc la disharmonie autour de lui. Devons-nous nous étonner si nos comportements, à l'échelle de la planète, finissent par créer de dangereux déséquilibres alimentaires, écologiques, et finalement sociaux ?

Les moines zen insistent sur la maxime suivante : « *Porte attention au lieu où tu te tiens.* » J'ajouterais « et à ce que tu fais ». Cela signifie bien maîtriser nos faits et gestes, bien saisir comment il convient que les choses soient accomplies. Dans la pratique quotidienne, à notre échelle microscopique, c'est déjà introduire le respect vis-à-vis des éléments et des autres. C'est économiser l'eau du robinet que nous faisons couler inconsidérément, quand on sait combien l'eau peut venir à manquer.

NETTOYER LA DEMEURE

C'est ne pas jeter le pain, l'aliment sacré par excellence. C'est éviter de laisser brûler inutilement une lampe électrique, alors que l'un des maux de la planète réside dans notre consommation abusive des ressources énergétiques. La Divinité se cache aussi dans l'eau et le courant électrique, comme dans tous les objets concrets, dont nous devons user comme il convient, c'est-à-dire dans la recherche du *geste juste*. Nous pensions parler de pratique ordinaire, et nous nous rendons compte que c'est là que se joue notre salut, et même celui de l'humanité. Cela ne mérite-t-il pas toute notre vigilance ?

En tibétain, la discipline se dit *tsultrim* : *tsul* désigne ce qui est adéquat, tel que cela doit être réellement, et *trim* signifie la règle. La discipline, c'est donc la « règle de la réalité ». Pour obtenir un résultat juste, il nous faut faire les choses sans aller à l'encontre de la réalité. Nous devons agir en fonction de ce qui est, changer nos comportements plutôt que l'ordre du monde.

Dès lors, l'ascèse n'est plus une contrainte mais une recherche de l'harmonie avec le Cosmos, et elle débouche finalement sur une régénération de notre organisme comme de notre environnement immédiat ! Si l'ascèse n'était qu'économie, elle ne serait encore que modération de nos défauts : il faudrait presque se passer de l'acte pour atteindre la perfection. En revanche, lorsque nous avons atteint le geste juste, l'acte n'est plus un défaut mais une réparation. Il ne s'agit plus de se contrôler à tout prix, mais bien d'entrer dans la danse cosmique en adoptant naturellement le comportement adapté à chaque situation. Au XVIIIe siècle, le kabbaliste Luzzatto chantait ainsi les vertus de la Kabbale par rapport à la lecture exotérique, qui se contente de prêcher la modération : « *La supériorité de la Kabbale tient à ce que, selon elle, les actes eux-mêmes redeviennent bons et sont des réparations supérieures.* » Nous devons atteindre le geste juste, celui qui ne dérange pas l'harmonie générale, qui n'est pas source de désordre, dans notre organisme, dans notre âme, puis dans notre environnement.

Au Tarot, la quatorzième arcane est la Tempérance, considérée comme le symbole de l'Alchimie. Cette vertu est représentée par un ange qui verse de l'eau pure d'un récipient bleu dans un récipient rouge. Il ne s'agit pas vulgairement de mettre de « l'eau dans son vin », mais bien d'effectuer la transmutation de l'un en l'autre et de réaliser enfin notre aura violette, où s'unissent le rouge terrestre et le bleu céleste.

Nettoyer notre demeure corporelle, c'est donc en premier lieu faire attention à ce que nous absorbons et à la façon dont nous l'absorbons. « *Purifie d'abord l'intérieur de la coupe et de l'écuelle, afin que l'extérieur aussi devienne pur* », lit-on dans l'Évangile de Matthieu (XXIII, 26). Ce qui n'empêche pas de « nettoyer » également cet extérieur en « faisant ses ablutions », expression d'hygiène élégante passée dans le langage profane, mais qui, au sens religieux, signifie bel et bien « laver son corps, ou une partie de ce corps, en vue d'une purification sacrée ». L'eau a toujours été ressentie comme l'élément purificateur par excellence dans toutes les religions.

Au second jour de la Genèse, Dieu a séparé « les eaux qui sont sous le firmament d'avec les eaux qui sont au-dessus du firmament ». Il nous faut passer par les ablutions – les eaux d'en bas – avant de nous purifier par la prière – les eaux du haut. Les musulmans se lavent les pieds, les mains, le visage avant d'entrer dans la mosquée, suivant en cela la sourate V du Coran (verset 6) : « *Ô croyants ! quand vous vous disposez à faire la prière, lavez-vous le visage et les mains jusqu'au coude ; essuyez-vous la tête et les pieds jusqu'aux chevilles.* » On retrouve cette pratique chez les Orientaux, et les premiers chrétiens se pliaient au même rituel, avant de se contenter de tremper un doigt dans le bénitier.

Il s'agit là d'une préparation à la méditation-prière, qui doit dans un premier temps nous déconnecter de la vie matérielle, nous apaiser, « calmer le jeu/je », afin de nous rendre disponibles. Plus sacrée encore se révèle l'immersion totale, chère aux hindous, aux musulmans (qui l'appellent la grande ablution), et qu'on retrouve dans presque toutes les préparations initiatiques. Dans certaines tribus africaines, le futur initié devait se lover dans une niche aménagée sous un torrent et passer une journée entière sous le bouillonnement torrentiel. Chez les Esséniens, les gens venaient trouver saint Jean-Baptiste et « *ils se faisaient baptiser par lui dans les eaux du Jourdain, en confessant leurs péchés* » (Évangile de Matthieu, III, 6). Si certaines Églises protestantes perpétuent cette immersion totale, les catholiques se limitent à une simple aspersion. Dans tous les cas, l'eau nous permet de nous raccorder à la source divine. Aucune transformation magique n'est attendue là, mais l'immersion (ou l'aspersion) confère la force de se maintenir dans la Voie, tout en soulageant l'initié de ses fautes.

Vous me direz qu'il s'agit là de cérémonies quasi sacramentelles que nous ne saurions perpétuer dans notre vie de tous les jours. Certes, mais ce n'est pas une raison pour se priver des bienfaits divins de l'eau, dont malheureusement beaucoup d'entre nous ne savent plus profiter. Il faut dire que longtemps, les pruderies instituées par l'Église, qui considérait la toilette – entre autres – comme une incitation à la sensualité, voire à la débauche, n'ont rien arrangé à l'affaire. Encore au début de ce siècle, il n'était pas rare que l'on prenne les bains tout habillés dans les couvents et les écoles religieuses ! Qui plus est, l'Église préconisait de se laver à l'eau glacée, pour mater le corps.

Les progrès de la médecine et de la prophylaxie ont balayé ces pudibonderies détestables, et le bain comme la douche sont devenus quotidiens, mais dépourvus, la plupart du temps, de leur signification – et de leurs bienfaits – salvateurs. Ne nous en privons plus !

Pour ma part, ces ablutions totales sont davantage qu'un moment de détente, et bien plus qu'un moyen d'assurer une propreté hygiénique : elles sont une forme de nettoyage intégral, corps et âme, et de régénération. Le matin, à l'instar des musulmans, je me débarrasse ainsi de tous les mauvais rêves – souvent émanations d'un subconscient tourmenté – qui auraient pu troubler mon sommeil et qui suintent encore à travers les pores de ma peau. Je savoure dans ce bain matinal une harmonie bienfaisante avec l'un des quatre éléments de la Nature. Cela peut paraître un peu trop animiste au goût de certains, cependant ce contact liquide a la propriété d'accroître mes forces vitales au moment de commencer la journée. Je me rappelle ces vers du *Rig Veda* :

> *« Vous les Eaux qui réconfortez,*
> *apportez-nous la force, la grandeur, la joie,*
> *[la vision !*
> *Vous les Eaux, donnez sa plénitude au*
> *[remède,*
> *afin qu'il soit une cuirasse pour mon corps,*
> *et qu'ainsi je voie longtemps le soleil ! »*

Et surtout, je prie ! Certains dansent sous la pluie, moi je prie sous la douche. J'apprécie pleinement cet instant où l'eau m'isole des réalités de ce monde, pour de nouveau recevoir les grands Inspirateurs, pour me purifier, me libérer du stress, me maintenir en Dieu et me rénover en vue des efforts que j'aurai à fournir dans la journée.

Le soir, en lavant mon corps de la pollution urbaine, je me nettoie également des souillures morales ou psychiques dont j'ai pu être la cible, le témoin... ou le coupable. N'oublions pas que notre corps physique est entouré d'un corps plus subtil, invisible, éthérique, qui capte toutes les bonnes et mauvaises pensées environnantes. L'eau est un excellent moyen de se débarrasser de ces « égrégores » nocives qui font de nous des prisonniers. Et elle y parvient d'autant mieux que nous faisons du moment de la douche un moment de méditation. Tandis que l'eau ruisselle sur votre corps, emportant avec elle toutes les impuretés, vous pouvez répéter à voix haute ou mentalement ce vers du *Miserere* (Psaume 51) : « *Lave-moi, et je serai plus blanc que neige.* » Ou bien remémorez-vous cette promesse que l'on trouve dans le Livre d'Ézéchiel (XXXVI, 25) : « *Je répandrai sur vous une eau pure et vous serez purifiés ; de toutes vos souillures et de toutes vos ordures je vous purifierai. Et je vous donnerai un cœur nouveau, je mettrai en vous un esprit nouveau, j'ôterai de votre chair le cœur de pierre et je vous donnerai un cœur de chair.* » Là encore, tout est dit. Méditez ces phrases, et recevez l'eau comme un onguent divin qui va vous désencombrer de vos soucis, faire glisser peu à peu votre stress, vous donner du courage (« cœur » au sens cornélien), vous clarifier les idées (évidemment, la poésie de la Bible se révèle infiniment moins vulgaire que mes explications, mais il n'est pas mauvais de démontrer que ces phrases merveilleuses sont aussi terriblement « pratiques »), vous rendre un peu plus généreux que vous ne l'êtes, esclaves de vos peurs dans votre « cœur de pierre » et insensibles aux autres.

Qu'on la considère physiquement ou symboliquement, l'eau est un principe de vie et, comme la nourriture, une manne céleste. « *Nous faisons descendre du ciel l'eau en certaine quantité,* dit le Coran (sourate XXIII, 18), *nous la faisons rester sur la terre, et nous pouvons aussi l'en faire disparaître.* » On ne peut exprimer plus clairement que l'eau est, elle aussi, un cadeau du Ciel. Apprenons à nous en servir, comme de tout ce qui est offert, au quotidien, et nous serons déjà beaucoup plus riches.

Sans oublier que l'eau figure, en ces Temps réduits, le moyen de notre transformation et de notre renaissance, à l'aube de l'ère nouvelle du Verseau, symbolisée... par deux ondes parallèles.

Une manière saine de se nourrir, une discipline joyeuse, des exercices de purification... Toutes ces pratiques vont nous procurer un mieux-être, nous permettre d'ouvrir un « œil neuf » sur les beautés du réel. Elles n'apporteront pas de solution miraculeuse à nos problèmes, mais elles représentent un salutaire entraînement pour mieux appréhender les difficultés de l'existence. Apprendre pour son corps la tempérance sans se priver de la notion de plaisir, lequel est aussi un cadeau divin ; cerner le geste juste qui nous harmonisera, et nous fera respecter en outre notre environnement et les autres : voici une excellente préparation que nous ferions bien d'étendre à notre manière de « gérer » notre vie sociale, familiale et professionnelle. Sans oublier l'essentiel : nettoyer notre véhicule terrestre de ses impuretés, c'est aussi préparer la demeure pour les grands hôtes divins qui viendront plus volontiers nous aider dans notre quête.

Mais, vous l'imaginez aisément, ce grand ménage et ces rafraîchissements ne sauraient suffire à nous ouvrir les routes du Ciel, ni même à nous assurer une existence terrestre sans embûches. Les pièges demeurent, perfides, nombreux, ceux qui font clamer dans le psaume de David : « *Yahvé, qu'ils sont nombreux mes oppresseurs, nombreux ceux qui se lèvent contre moi, nombreux ceux qui disent de mon âme : "point de salut pour elle en son Dieu".* » Nos ennemis sont là, qui nous guettent, à l'extérieur mais aussi à l'intérieur de nous...

CHAPITRE QUATRIÈME

SE PROTÉGER DE SES ENNEMIS

Le malheur ne peut fondre sur toi,
Ni la plaie approcher de ta tente :
Dieu a pour toi donné ordre à ses
anges
De te garder en toutes tes voies.

Psaume 91

Croirez-vous que nous voici arrivés à mi-chemin ? Les remous du mental ont laissé place à une mer d'huile, notre corps longtemps négligé se revigore peu à peu, tandis que notre attention réveillée donne une nouvelle portée à nos gestes quotidiens... Patiemment, nous avons levé les premiers voiles qui nous séparaient de la lumière divine, nous cessons ainsi de nous étioler pour avancer vaillamment sur le chemin d'une épuration alchimique qui doit révéler en nous les matériaux les plus nobles. Et pourtant, malgré ces progrès incontestables, nous n'avons peut-être jamais été aussi en péril...

Certes, nous avons fait place nette dans nos esprits comme dans notre chair, mais qui va venir occuper cet espace libéré ? Nos anges gardiens, nos guides célestes, annoncions-nous plus haut... En sommes-nous d'emblée si convaincus ? Beaucoup de ceux qui désirent initier une quête spirituelle sont retenus par cette interrogation inquiète : faire table rase de nos préjugés comme de nos mauvaises habitudes, c'est bien tentant, mais n'est-ce pas en définitive s'exposer en terrain découvert ? Ce lâcher prise de ma méditation, ce calme provisoirement reconquis ne vont-ils pas me rendre vulnérable ? Ne vais-je pas, tel un doux rêveur, prêter le flanc à toutes les agressions extérieures, de quelque origine qu'elles soient ?

Certaines personnes se demandent par exemple si elles ne vont pas être plus accessibles aux manigances des « autres ». En renonçant aux défenses instaurées depuis l'enfance, je risque en effet de subir l'assaut en règle des vibrations négatives émises par un environnement social auquel je ne peux me soustraire. Il ne faut pas oublier que la vie quotidienne est faite d'agressions plus ou moins graves, mais continuelles : sur mon lieu de travail, dans mes déplacements, mes projets, mes créations, je suis sujet à des animosités plus ou moins exprimées, exposé à des pièges plus ou moins fomentés. Certes, je vois grandir les bienfaits concrets de mes méditations, mais comment concilier ces moments privilégiés de recentrage avec les inévitables conflits de ma vie extérieure ? En dévoilant mon vrai visage au monde, je cours le danger stigmatisé par Matthieu : « *Ne jetez pas vos perles devant les porcs : ils pourraient bien les piétiner, puis se retourner contre vous pour vous déchirer* » (VII, 6).

La vérité c'est qu'on a encore peur. Une formidable peur de l'inconnu ! Car on prend soudain conscience qu'entamer un vrai travail de recherche ne se résume pas à un simple « hobby » innocent :

on doit en sortir profondément transformé, différent. Or, dans cette voie, les « initiés », c'est-à-dire, je le rappelle, ceux qui entreprennent le chemin, se connaissent tels qu'ils sont aujourd'hui, mais ne savent pas ce qu'ils deviendront demain. Sans être forcément satisfaits de leur situation actuelle, ils redoutent la métamorphose à laquelle doit les mener leur itinéraire. S'ils conviennent que le « vieil homme » doit quitter sa dépouille, la figure du futur jouvenceau leur paraît encore trop floue. Va-t-il falloir en passer nécessairement par une crise mystique difficilement compatible avec nos responsabilités familiales, sociales, ou simplement humaines ?

Tant il est vrai qu'on veut bien suivre la route, mais pas trop loin. La plupart n'ont aucune envie de ressembler un jour à ces illuminés qui clament leur amour de la Divinité en tapant sur des tambourins, à ces « barbus » qui haranguent la foule perchés sur un cageot, ou encore à ces silhouettes noires qui se recueillent au Père-Lachaise sur la tombe d'Allan Kardec, le maître du spiritisme. Et beaucoup d'autres sentent d'instinct qu'ils n'ont pas, en matière de mysticisme, la trempe d'un saint François d'Assise, qui vendit les biens de son père et jeta par la fenêtre l'argent récolté avant de s'enfermer dans un réduit ; ni l'humilité spectaculaire d'un saint Jean de Capistran, lequel, en 1456, après sa conversion au cours d'un séjour en prison, rentra chez lui juché à rebours sur un âne, couvert de haillons et coiffé d'une mitre de carton sur laquelle il avait écrit la liste de ses péchés. Il nous est difficile de nous persuader avec Ignace de Loyola : « *Je préfère être regardé comme un sot et un fou pour le*

Christ, qui le premier a passé pour tel, plutôt que comme un sage et un prudent en ce monde. »

Mais qui nous demande de devenir des saints ? L'approche de Dieu ne leur est pas réservée ! D'autre part, dussé-je me répéter, on peut très bien concilier la quête spirituelle et les vicissitudes ou joies de la vie terrestre. Seulement à ce stade de l'évolution, l'initié a encore des craintes. Crainte des autres et surtout de ces obscures « forces du Mal » qui semblent le harceler, le provoquer, l'entraver dans sa recherche beaucoup plus que par le passé, quand il vient d'amorcer son changement.

Et il n'a pas tout à fait tort ! L'Évangile de Luc (XI, 24-26) nous confirme que l'homme en quête de pureté se trouve confronté à la menace d'un retour offensif de l'esprit du Mal : « *Lorsque l'esprit impur est sorti de l'homme, il erre par des lieux arides en quête de repos. N'en trouvant pas, il dit : "Je vais retourner dans ma demeure, d'où je suis sorti." Étant venu, il la trouve balayée, bien en ordre. Alors il s'en va prendre sept autres esprits plus mauvais que lui ; ils reviennent et y habitent. Et l'état final de cet homme devient pire que le premier. »*

Ce retour de l' «esprit impur» peut se manifester de diverses manières : anicroches, retards dans la réalisation de nos projets, accidents, excuses que nous saisirons au vol, si nous ne persévérons pas, comme autant de raisons de ne pas faire d'efforts supplémentaires dans notre mutation. Pour donner une analogie « terre à terre », n'est-il pas arrivé à certains d'entre vous, au moment où ils avaient réussi un examen, obtenu un poste convoité, acheté l'entreprise de leurs rêves, d'être saisis soudain d'une terreur panique, d'une envie incoercible de tout laisser tomber, de redevenir insouciants comme avant, bref de fuir leurs responsabilités ? De douter d'eux-mêmes, de se dire « je n'y arriverai pas, j'ai sous-estimé les difficultés » ?

Puis ils s'aguerrissent, apprennent à se défendre, à s'épanouir, et poursuivent la route. Eh bien faites de même ! Avant de vous jeter à orgueil perdu dans la conquête de l'Absolu (cet absolu-là ne se conquiert pas, il se mérite), marquez un temps de répit en toute humilité. Apprenez à vous protéger de vos ennemis, quels qu'ils soient... quitte à découvrir que les pires ne sont pas ceux que vous croyez, et que vos meilleures armes sont celles auxquelles vous pensiez le moins. Il existe pour cela tout un réseau de protections efficaces. Oui ! Même contre le Diable ! D'autant qu'il n'existe pas...

L'histoire des grands Initiés atteste que plus on avance dans le chemin intérieur, plus on subit d'attaques. Saint Antoine, saint Jérôme, ou le Padre Pio ont été violemment malmenés par des forces démoniaques. Jésus lui-même, après un jeûne de quarante jours, a subi dans le désert l'entreprise de séduction de Satan. Mais ce n'est pas le « privilège » des grandes âmes : nous tous, lorsque nous nous lançons dans une démarche d'élévation, sommes à la merci de ces forces négatives qui, avec une implacable insistance, essaient de nous retenir accrochés à la matière.

LE TEMPS PRÉSENT

Dans *Trajectoire*, j'ai raconté comment j'ai subi l'attaque de Satan, sous la forme d'une nuée sombre qui s'est soudain abattue sur moi, en pleine rue. Lorsque ce nuage visqueux m'a touché, j'ai hurlé de terreur, et il s'est éloigné. Une expérience similaire s'est produite récemment, à Neuilly, alors que j'étais en train de lire sur un banc. J'étais plongé dans la lecture d'un livre merveilleux, l'Évangile ésotérique de saint Jean, et brusquement, j'ai senti que dans mon dos se dressait un mur noir, colossal. Cette muraille sinistre est venue vers moi à une vitesse terrifiante. J'ai prié ardemment, malgré les frissons d'épouvante qui m'agitaient. Et la matière a reculé... Une nouvelle tentative satanique pour m'intimider, pour m'empêcher de poursuivre mon travail ?

Lorsqu'on parle de démonologie, il faut cependant faire attention car il existe toute une tradition populaire, faite de superstitions anciennes, dont se sont abondamment servies les Églises pour effrayer les gens. Diables cornus aux pieds fourchus, satyres ou vampires assoiffés de sang : autant de chimères grimaçantes censées nous tirer par les pieds dans notre sommeil, ou nous pousser de leurs tridents dans les flammes de l'Enfer...

Ces images grotesques sont l'invention des hommes. Le Diable n'existe pas ! Mais Satan, lui, existe bel et bien. La différence ? demanderez-vous... Elle est énorme. Le Diable serait une puissance rivale de Dieu, comme s'il pouvait y avoir deux maîtres de l'Univers qui se disputeraient nos faveurs. Satan, c'est juste la matière. Une matière créée par Dieu, qui à l'origine était donc partie prenante de la Divinité. Cette matière, c'est notre domicile terrestre, actuellement encore situé au Troisième Plan vibratoire, dont nous allons peu à peu nous libérer, selon notre comportement, pour nous diriger, d'une vie à l'autre, vers la lumière du monde spirituel. Rejetée du côté de l'obscurité, voire de l'obscurantisme, la matière en a donc conçu une forme de rancune, mêlée toutefois à une certaine jouissance parce qu'ainsi elle échappait à Dieu, devenant pour nous humains un habitacle dense, lourd et opaque certes, mais au moins tangible, faussement rassurant. Qui, chez les prisonniers, n'a jamais eu peur de quitter sa geôle ? Ainsi allaient s'affronter peu à peu, chez les êtres humains, les forces du bien et du mal, qui ne sont jamais que l'hésitation entre notre ancrage dans la matérialité – laquelle nous donne pourtant de terribles soucis – et l'ascension de l'âme, laquelle trouverait cependant dans cette montée de quoi ne pas vivre ici-bas un enfer.

Cette force, cette cohésion de la matière, sa hargne à l'idée d'être séparée de la Divinité, ce désir humain de rester tel qu'on est, cette occultation de la mort, cette absence de questionnement sérieux sur la finalité de la vie ont créé ce qu'on appelle Satan.

Satan existe, il nous entoure. Lorsque nous descendons sur le plan terrestre nous entrons dans son royaume. Quand les Apôtres posent au Christ cette fameuse question : « *Es-tu le prince de ce monde ?* » ne répond-il pas : « *Non, le prince de ce monde, c'est Satan* » ?

Encore une fois, Satan n'est pas l'anti-Dieu, mais la matière dans laquelle l'homme s'englue au lieu de chercher à s'élever. Et ce sont les humains qui, par leurs attitudes négatives, ont encombré cette matière satanique d'intentions malsaines, lui conférant des pouvoirs grandissants de millénaire en millénaire. Depuis des millions d'années, nous avons donné à Satan une force colossale. Nous l'avons nourri de nos désirs, de nos envies, de nos vengeances, de nos crimes, de tout ce qui était négatif en nous. Satan s'enrichit de nos angoisses, de nos peurs, de ce stress qu'il fomente pour accroître sa domination.

Or s'il se déchaîne de nos jours, c'est qu'il n'ignore pas qu'en cette fin du Kali-Yuga, cette mort de l'Âge de Fer où le démon a triomphé, l'opportunité va nous être offerte de nous élever vers la Divinité, et de passer au Quatrième Plan vibratoire. Satan sait que le Cosmos est en train d'évoluer. Toutes les vibrations s'élèvent en intensité, la matière elle-même va changer : Satan risque de perdre son domaine. Il n'est pas étonnant qu'il se manifeste partout, dans une tentative terrible pour maintenir les hommes sous son emprise. Pour cela, et par une démarche « diabolique », il n'hésitera pas à donner à l'être humain un maximum de pouvoir. Mais quel pouvoir ? Celui de nous auto-détruire. Satan va nous ramener vers les vibrations basses, ce que l'homme accepte avec délectation, s'abandonnant aux séductions de son ennemi intime, lequel pervertit par l'entremise du dieu argent toutes les activités humaines, dans la science, la politique ou la communication de masse, et la vie personnelle de tout un chacun.

Lorsque Satan a tenté de séduire le Christ dans le désert, il n'a pas agi autrement. Il l'a entraîné sur une montagne et, lui montrant les richesses de ce monde, il lui a dit : « Tout cela, je te le donnerai si, te prosternant, tu me rends hommage. » Le Christ a facilement rejeté cette offre : qu'allait-il vouloir de la matière, de l'obscurité, puisqu'il était le maître de la Lumière ?

Pour notre malheur, il nous est beaucoup plus difficile de résister à la tentation. Et lutter se révèle d'autant plus épuisant, en ces Temps réduits, que Satan met tout en œuvre pour nous empêcher de lui échapper, de nous préparer à l'ère harmonieuse, éthérée, du Verseau. Il n'hésitera pas à employer, dans son ultime combat, les moyens les plus perfides. Déjà pullulent les sectes, les faux prophètes, qui préfigurent l'Antéchrist, l'« Anti-Christ », émanation satanique pleine de charisme qui exercera, à la fin de l'ère des Poissons, son pouvoir fallacieux sur le monde. Les Écritures nous annoncent néanmoins – je l'ai évoqué dans *la Fin des Temps* – que l'Anti-Christ sera tôt ou tard terrassé, grâce à deux êtres d'exception qui vont arriver du Cosmos : Élie et Énoch. Deux entités colossales qui aimaient tellement Dieu que Celui-ci les a rappelées à Lui sans qu'ils passent par la mort ni la décomposition du corps. Ces deux Êtres de vérité reviendront sur Terre pour entreprendre la lutte contre l'Anti-

Christ. Un duel terrible s'ensuivra, dernier combat contre la matière qui permettra l'accès au Quatrième Plan vibratoire... pour ceux qui ne se seront pas laissé entraîner par Satan, sous quelque forme qu'ils l'aient rencontré.

Comment faire partie de ces élus ? En persévérant dans la recherche spirituelle que nous avons initiée, ce travail de recentrage de notre être. « *Soyez sobres, veillez*, lit-on dans la Première Épître de saint Pierre (V, 8-9). *Votre partie adverse, comme un lion rugissant, rôde, cherchant qui dévorer. Résistez-lui, fermes dans la foi, sachant que c'est le même genre de souffrance que la communauté des frères, répandue dans le monde, supporte.* »

Malheureusement, la persévérance dans la recherche est sans doute la vertu la plus difficile à maintenir. Parce que nous sommes sur Terre, que nous devons y vivre et, partant, affronter des problèmes quotidiens qui parfois nous envahissent à tel point qu'il nous semble plus urgent de les résoudre que d'escalader les marches du Ciel. Dans un sens, nous n'avons pas tort : nous sommes également ici-bas pour y vivre, et saint François de Sales nous rappelle fermement que Dieu ne nous a pas tous incarnés pour devenir ermites, moines ou martyrs. Il n'empêche que la quête spirituelle n'est pas incompatible, je ne le répéterai jamais assez, avec la « lutte pour la vie » que nous impose le monde terrestre. Et que si nous avons l'humilité de nous en remettre à Dieu, non pour qu'Il fasse tout à notre place à coups de miracles triviaux mais pour qu'Il nous accorde assistance dans notre vie de tous les jours, nos problèmes affectifs, professionnels, physiques se résoudront plus facilement. Voilà en quoi consiste la prière « demande d'aide ». La prière-litanie avait pour but de calmer notre mental, la demande d'assistance divine nous permettra de trouver remède à nos maux actuels, ou de mieux les supporter. Toutes les religions possèdent des hymnes, des incantations qui ont pour objet de s'attirer les faveurs de la Divinité ou de ses puissances déléguées, grands Guides, Êtres de Lumière ou anges gardiens.

En ce qui me concerne, j'ai depuis longtemps trouvé dans les Psaumes de la Bible un formidable outil de protection, l'un des meilleurs sans doute dont disposent les judéo-chrétiens. Il me semble qu'on peut puiser là des forces nouvelles pour affronter les temps de crise. Au fil des Psaumes, Dieu est décrit comme le « *roc hospitalier* », la « *forteresse de salut* », « *mon bouclier, mon rocher, mon rempart, mon espoir, ma citadelle, mon sûr abri, ma force, mon secours et mon sauveur* ». « *Frappe ton adversaire avec le nom de Dieu*, dit saint Jean Climaque, *il n'est pas d'arme plus puissante sur terre et dans les cieux.* »

N'hésitons pas dès lors à faire appel à Lui, chaque fois que nous avons besoin de soutien. Et employons-nous à retenir Son attention ! Les bouddhistes qui entrent dans un temple font retentir une cloche ou un gong pour demander aux dieux de leur prêter une oreille attentive. Ce n'est pas dans nos habitudes. Mais cela ne nous empêche nullement d'insister, encore et encore. Ne nous décourageons pas ! Quand nous voulons demander l'aide divine, prions sans relâche. Prions et crions, pour qu'Il nous entende ! Prenons exemple sur les implorations des Psaumes (3, 4, 5, 10, 13, 17, 22, 28, 38, 39, 54, 55, etc.).

> *«À pleine voix je crie vers Yahvé,*
> *il me répond de sa montagne lointaine. »*

> *« Quand je crie, réponds-moi, Dieu de ma justice,*
> *dans l'angoisse tu m'as mis au large :*
> *pitié pour moi, écoute ma prière ! »*

> *«Ma parole, écoute-la, Yahvé,*
> *discerne ma plainte. »*

> *«Pourquoi, Yahvé, restes-tu loin,*
> *te caches-tu aux temps de détresse ? »*

> *«Jusques à quand, Yahvé, m'oublieras-tu?*
> *[jusqu'à la fin ?*
> *Jusques à quand me vas-tu cacher ta face ? »*

> *«Écoute, Yahvé, la justice,*
> *sois attentif à mes cris,*
> *prête l'oreille à ma prière,*
> *point de fraude sur mes lèvres. »*

> *«Mon Dieu, mon Dieu, pourquoi m'as-tu*
> *[abandonné,*
> *insoucieux de me sauver,*
> *malgré les mots que je rugis ? »*

SE PROTÉGER DE SES ENNEMIS

« Vers toi, Yahvé, j'appelle, mon rocher, ne sois pas
[sourd ! »

« Ne m'abandonne pas, Yahvé,
mon Dieu, ne sois pas loin de moi ;
vite, viens à mon aide,
Seigneur, mon salut ! »

« Écoute ma prière, Yahvé,
prête l'oreille à mon cri,
ne reste pas sourd à mes pleurs. »

« Ô Dieu, entends ma prière,
écoute les paroles de ma bouche ! »

« Entends, ô Dieu, ma prière,
ne te dérobe pas à ma supplique,
donne-moi audience, réponds-moi,
je divague en ma plainte. »

Et surtout ne craignez pas d'abuser de la patience céleste ! Seule une détermination sans faille vous permettra de vous faire entendre. Vous n'osez pas apparaître comme un plaideur qui relance sans arrêt une chicane ? Alors relisez dans l'Évangile de Luc (XVIII, 1-5) l'histoire de ce juge qui, de guerre lasse, finit par accéder aux demandes d'une « veuve importune ». Le Christ cite cet exemple pour nous exhorter à l'insistance : « *Et Dieu ne ferait pas justice à ses élus qui crient vers lui jour et nuit, tandis qu'il patiente à leur sujet ! Je vous dis qu'il leur fera prompte justice.* »

Ne renoncez pas, car la réussite est forcément au bout, pour peu que vous vous armiez de patience... La prière est d'une efficacité quasi automatique. Souvenez-vous encore de l'Évangile de Luc (XI, 9-10) : « *Et moi je vous dis : demandez et l'on vous donnera ; cherchez et vous trouverez ; frappez et l'on vous ouvrira. Car quiconque demande reçoit ; qui cherche trouve ; et à qui frappe on ouvrira.* » Alors frappez, et frappez encore ! Je vous garantis qu'on vous répondra.

Pratiquez la prière avec une régularité empreinte de conviction et nul doute que vous verrez alors s'accomplir des miracles, comme le dit le Christ dans l'Évangile de Matthieu (XXI, 21) : « *En vérité je vous le dis, si vous avez une foi qui n'hésite point (...), même si vous dites à cette montagne : "Soulève-toi et jette-toi dans la mer", cela se fera. Et tout ce que vous demanderez dans une prière pleine de foi, vous l'obtiendrez.* »

Chacun sait qu'il est des jours, malheureusement, où nous nous sentons incapables de prier : nos pensées se bousculent, nous ne parvenons pas à nous concentrer, comme si quelqu'un ou quelque chose agissait sur nous à distance pour brouiller ou dévier notre demande. C'est pourtant dans ces moments qu'il faut insister, encore et encore, jusqu'à ce nous ayons rétabli ce rayon lumineux qui nous relie à la Divinité. Nous ne pouvons pas prier ? Prions quand même ! Lisons les Textes, au mot à mot, le doigt sous les lignes, comme des enfants. Prononçons les formules des Psaumes (cela est recommandé, d'ailleurs, en toute circonstance) deux tons au-dessus de notre tessiture normale : c'est là une technique admirablement mise en œuvre par le chant grégorien, mais que l'on retrouve dans la plupart des religions. Ceux qui entendent ces prières psalmodiées parlent alors de « voix célestes ». Pour nous, en haussant notre voix au-dessus de son ton coutumier, il s'agit de sortir de l'intellectualisation pour entrer dans le monde vibratoire, celui où les grands Guides comme le Guide suprême nous entendront, au-delà des mots.

Je dis bien « au-delà des mots » ! Il convient en effet d'écarter quelques malentendus à propos de cette prière-demande d'aide. J'ai peur que certains naïfs, ou des égoïstes forcenés, s'imaginent qu'ils vont pouvoir recourir à cette méthode pour obtenir la satisfaction de tous leurs désirs. Si tel est le cas, ils se trompent lourdement. Peut-on déranger les puissances célestes pour obtenir un crédit immobilier ou la révélation des prochains numéros du loto, quand bien même on y mettrait la meilleure conviction ? Ce serait se priver de la sagesse divine. Bien sûr, nous pouvons, en cas de détresse, supplier Dieu de nous sortir d'une situation dramatique ; bien sûr, quand nous sommes dans une impasse, nous pouvons lui demander de nous ouvrir une brèche. Mais évitons de formuler trop précisément, avec nos mots et objectifs humains, ce que nous désirons. Car savons-nous si ce que nous désirons – même ardemment – représente le mieux pour nous ? Les mystiques ont souvent répété que l'important dans la prière était moins ce que l'on disait à Dieu que ce que Lui avait à nous dire. Tant il est vrai qu'il nous faut prier « *en Son nom* ». Le Christ le souligne dans les Évangiles : « *Ce que vous demanderez en mon nom, je le ferai, Il vous le donnera.* » Et chaque fois que la Bible affirme la toute-puissance de la prière adressée à Dieu, elle s'empresse de préciser : « *Mais que Ta volonté soit faite et non la mienne...* »

Tâchons de nous comporter en adultes : la prière n'est pas un catalogue de souhaits adressés au Père Noël. Notre demande d'aide est – aussi – une demande de miséricorde. Comment pouvons-nous savoir, de notre petit point de vue, limité par notre incarnation actuelle, ce que notre destin nous réserve afin d'alléger notre karma ? Gardons-nous d'être trop précis dans nos supplications. Contentons-nous de nous placer sous la protection divine, de nous présenter en serviteurs, et le reste suivra. « *Donne-moi ton cœur et le reste je te le donnerai par surcroît* », lit-on dans l'Ecclésiaste. « *Cherchez le Royaume de Dieu et le reste vous sera donné par surcroît* », nous dit l'Évangile de Luc (XII, 31). Ainsi va le dicton populaire : « Dieu vous ferme une porte mais vous ouvre un portail. » Les puissances célestes ne nous donneront pas fatalement ce que nous demandons, mais bien plutôt ce qu'il nous faut.

Essayons en outre de ne pas nous montrer trop égocentriques dans nos appels au secours. Prions pour les êtres qui nous sont chers, ou proches, ou familiers, et pour les êtres humains en général.

SE PROTÉGER DE SES ENNEMIS

Sachez que votre prière-demande d'aide ne sera jamais plus efficace que lorsqu'elle sera une supplique désintéressée d'intercession au profit des autres...

Si cette prière-demande d'aide était faite avec une infinie confiance, elle devrait suffire à nous protéger. Hélas, « croyons »-nous autant que nous le croyons ? La peur demeure, des incidents, des échecs, des malveillances, des rivaux, des voisins, des inconnus lâchés avec de mauvaises intentions dans cet univers de violence. Mais il demeure aussi une forme de méditation-protection, je dirais de « mise sous protection », qui peut nous isoler de certains dangers.

Cette méditation simple peut se pratiquer n'importe où, y compris bien sûr là où on en a le plus besoin. Au milieu d'une foule, vous voulez simplement vous protéger, vous ne voulez pas qu'on vous regarde... Vous bâtissez alors un cocon autour de vous : vous vous imaginez enfermé dans un œuf qui encercle votre corps. Vous emplissez l'intérieur d'une lumière rose-dorée, la couleur des vrais rosicruciens, et vous donnez à l'extérieur de l'œuf l'aspect d'un miroir. Le miracle s'accomplit : les gens cessent de vous fixer car ils ne vous voient plus. Leur regard comme leurs pensées se reflètent et dévient sur la paroi bombée de cet objet ovoïde : vous pouvez alors commencer à méditer, à prier. À tout moment, lorsque la panique vous saisit, vous pouvez ainsi vous entourer d'une égrégore bénéfique qui vous isole d'un monde inconnu, visqueux, rampant, alimenté par vos angoisses enfantines, par des lectures ou des films malsains.

Les femmes, pour leur part, ont depuis longtemps utilisé leur parfum comme une forme de champ protecteur. Le parfum en effet peut instaurer un climat intérieur qui nous permet de percevoir une réalité spirituelle autre, ou de nous relier à la présence d'entités subtiles. Mais il existe aussi des émissions odorantes susceptibles de nous faire descendre en des profondeurs opposées : parfums magiaques qui nous font affleurer les plans démoniaques. Les alchimistes savent qu'il est des fumigations nocives à éviter. Méfiez-vous des effluves proposés par les apprentis sorciers qui pullulent actuellement et vous vendent de ces onguents malsains prometteurs de « retours d'affection » ou d'anéantissement de vos rivaux. Contentez-vous d'acheter l'eau de toilette dans laquelle « vous vous sentez bien... et bon ! » Prenez garde : se protéger de ses ennemis n'implique jamais, sous peine de grave châtiment, de chercher à nuire à autrui.

Pour évincer l'adversaire, il existe également des recettes simples, éternelles, comme l'image-relais, ou la médaille bénie qui sécurise : autant d'objets-tampons sur lesquels les ondes néfastes vont se briser. Ils élèvent un barrage de puissance qui va s'opposer aux forces du Mal venues nous agresser de l'extérieur. Car pour le novice, le danger vient avant tout de l'extérieur. Ce n'est pas si sûr et nous y reviendrons, mais il faut reconnaître qu'il vient – aussi – de l'extérieur, parfois... Et les objets-relais, de la même façon qu'ils nous ont aidés à nous concentrer dans la méditation-litanie, peuvent nous rappeler que notre ange gardien est penché sur notre épaule, et que nous pouvons compter sur lui.

Répétons-le : ces objets n'ont aucune réalité magique en soi, mais nous pouvons – sans aucune superstition – les investir d'un pouvoir les reliant à la Divinité. Disons qu'ils servent alors de catalyseurs du soutien des dieux. On peut prendre par exemple une statuette en bois, un crucifix, une image de la Vierge, une pierre, cristal ou améthyste, et magnétiser ces objets avec les mains, en les touchant. On transmet sa propre vibration à l'objet, en lui disant : « Protège-moi. Si quelqu'un me veut du mal, que tu sois mon bouclier. Les pensées négatives ne m'atteindront pas car tu vas les intercepter. » Attention ! Votre « talisman » sert uniquement à capter les pensées négatives. Il ne doit faire de mal à personne. En le magnétisant, il faut prendre garde que notre prière soit pure de toute mauvaise intention et ne lui confère aucun pouvoir néfaste sur les autres.

Quand on est en proie à des doutes terribles, pour un voyage ou autre initiative, une médaille bénie de la Vierge peut s'avérer un excellent support. Parce qu'on ne peut pas se promener partout avec sa statue de Bouddha ou son icône russe, on se rassure en portant sur soi, dans sa poche, à portée de main, de petits objets. En réalité, nous sommes protégés par bien d'autres entités que des médaillons et des images saintes, mais ce n'est pas toujours pour nous suffisamment tangible. Alors nous créons nous-mêmes le relais-témoin de cette protection. Pour mieux nous souvenir de la bienveillance de ce fameux ange gardien, de cet Être de Lumière qui ne nous quitte pas. La Bible nous dit que déjà les Hébreux portaient attachés à leur front ou leur bras des phylactères, littéralement « ce qui protège », des petits sachets de cuir contenant des morceaux de parchemin extraits de la Loi de Moïse.

J'ai pratiqué ces techniques de protection au début. Elles sont tout à fait efficaces, mais progressivement, elles se révéleront inutiles, lorsque l'initié aura atteint la seconde étape, dont nous reparlerons : il se rendra compte en effet que l'Amour protège mieux que n'importe quel talisman.

Il peut arriver également que nous soyons confrontés à des lieux chargés de vibrations négatives, qui ne sont pas expressément dirigées contre nous mais dont nous subissons cependant l'influence nocive. Certaines demeures, par exemple, ont été le théâtre d'événements terribles, ou le refuge de personnes dotées d'intentions nuisibles, et leurs murs sont encore chargés de cette négativité accumulée. Il peut s'agir aussi d'une mauvaise orientation, qui place la maison en conflit avec la trame des forces telluriques.

Précisons que les cas de demeures ainsi « maudites » sont excessivement rares. Et gardons-nous de croire notre appartement possédé parce que trois ampoules ont grillé dans la même soirée. Avant d'appeler un exorciste, consultez un électricien ! Se croire sans cesse persécuté par des puissances démoniaques est – encore – une déviation de notre mental, qui cherche à nous tromper sur ses responsabilités propres.

Toutefois, nous pouvons avoir réellement besoin de décharger un lieu jugé maléfique, ou simplement de purifier une maison dans laquelle nous emménageons. Il existe pour cela des pratiques « magiques ». Précisons qu'il s'agit de « magie blanche » et non de « magie noire ». La première est un travail qui s'accomplit au service et avec l'appui des forces célestes, et pour le bienfait des hommes. C'est en fait l'application de facultés qui étaient celles de l'homme des origines, lorsqu'il était encore installé dans sa nature divine. L'Art Royal des alchimistes n'est rien d'autre qu'une tentative de retour graduel vers cette véritable nature. La magie noire, au contraire, nourrit des desseins mauvais, voire criminels.

La seule magie envisagée ici est celle qui s'applique dans un désir désintéressé d'entraide. La Kabbale, pour sa part, préfère au mot magie celui de théurgie, qui est l'art de produire des effets dans la sphère du divin, dans un but rédempteur et non pas à des fins égoïstes. Il s'agit de parvenir à une connaissance de l'homme et de la Nature pour agir favorablement sur eux. La théurgie, c'est en somme l'art d'assurer les passages entre les différents plans vibratoires. Nous avons grâce à certaines pratiques la faculté de toucher l'invisible : « l'en-bas réveille l'en-haut », dit une formule du *Zohar*, le *Livre de la Splendeur* des kabbalistes. De sorte que tout peut influer sur tout, et que l'homme ici-bas peut établir le contact avec les mondes supérieurs.

Il m'arrive ainsi de recourir à certaines pratiques que j'ai héritées de vieilles traditions familiales. Lorsqu'on doit s'installer dans une maison ou un appartement et qu'on redoute la présence de vibrations négatives, par exemple, il faut poser sur une assiette ou sur une feuille de papier blanc une poignée de gros sel marin, et ce aux quatre coins de la maison ou de l'appartement. J'insiste sur le sel d'origine marine car, obtenu par évaporation, il est selon l'expression de Louis-Claude de Saint-Martin « le feu délivré des eaux », ce qui lui confère une grande vertu purificatrice. En plaçant là votre sel, vous devez lui demander d'avaler toutes les énergies négatives qui traînent dans cette maison. Vous laissez passer la nuit, et le lendemain, à votre retour, vous enlevez le sel et vous le jetez en dehors de votre demeure : celle-ci se trouve désormais entièrement purifiée. En ce qui concerne les énergies, elle est devenue neutre, vous venez de procéder à un nettoyage radical. C'est à vous maintenant d'imprégner ce lieu de votre présence et d'en faire ce que vous voulez qu'il soit.

Cette vertu protectrice du sel est d'ailleurs attestée dans la plupart des traditions. Les musulmans la connaissent bien. Les Asiatiques l'utilisent communément pour purifier les lieux jugés souillés ; ils répandent du sel sur le seuil de leur maison pour en défendre l'accès aux influences néfastes, et l'on voit également les lutteurs de sumo en jeter sur le cercle du combat afin que celui-ci se déroule dans le meilleur esprit de loyauté.

SE PROTÉGER DE SES ENNEMIS

De même, après le départ d'une personne détestable, venue vous ennuyer chez vous, et dont vous voulez chasser les mauvaises intentions, lancez une poignée de sel sur le pas de la porte, puis balayez ce sel vers l'extérieur : cette personne ne pourra plus revenir vous importuner. J'insiste encore : il faut faire cela sans intention négative à l'égard de l'importun, simplement en guise de prévention.

Il se peut toutefois que certaines présences résistent à l'action du sel. L'âme d'un mort, décédé dans ces lieux, continue par exemple de les habiter. Au moment de son trépas, se refusant à quitter ce monde, il s'est accroché à la matière, et hante désormais les murs, les meubles ou autres objets. Cet être disparu se rappelle à votre souvenir. Il n'y a pas de raison d'avoir peur, car ces « fantômes » n'ont pas de mauvais desseins à notre égard. Ils ont simplement compris que rester éternellement prisonniers ici-bas était un drame et ils implorent notre aide en se manifestant, en faisant craquer violemment le bois, en déplaçant les objets, en créant des phénomènes inhabituels. Au fond, la situation est inversée : ce n'est pas vous qui avez besoin d'aide, mais vous pouvez en apporter.

Placez quatre bougies de cire d'abeille – si possible bénies, c'est-à-dire arrosées d'eau bénite, prières à l'appui – autour de l'objet que vous croyez « possédé ». S'il s'agit d'une pièce, placez ces bougies aux quatre coins. Au moment d'allumer les mèches, vous devez prononcer une prière, demander à cette flamme qui s'élève de vous protéger. Ceci est d'ailleurs une règle valable chaque fois que vous allumez un cierge, ou un bâton d'encens, par exemple dans vos exercices de méditation. Ne jamais allumer un cierge ou un bâton d'oliban sans prier et demander qu'ils nous apportent des choses positives. Car lorsque vous allumez un cierge « dans le vide », n'importe quelle force maléfique peut en profiter. Cela peut être plus dangereux que de ne rien faire. En ce qui concerne l'encens, les Orientaux nous confirment qu'il faut prier avant de l'allumer. Il vous suffit de dire par exemple : « Que ce bâton d'encens me protège. » Alors la fumée de l'encens va amplifier cette protection. Dans le cas contraire, vous risquez d'intensifier une vibration négative.

Une fois les bougies allumées autour de l'objet, laissez-les se consumer : vous venez de créer un champ ascensionnel circulatoire. L'âme bloquée dans la matière va se trouver projetée dans le monde astral, dégagée donc du meuble ou des murs. Lorsque vous vous livrez à ce rituel, le Cosmos vous salue parce que vous aidez une âme bloquée dans ce Plan intermédiaire qu'est le nôtre à monter vers la Divinité. D'une certaine façon, vous venez d'accomplir un travail de salubrité et une œuvre charitable.

Dans le même désir de libérer les âmes prisonnières, quand j'entre dans une église, j'allume toujours un cierge pour un défunt errant. Je prie : « Que la première âme errante qui passe dans ce lieu se serve de la lumière de ce cierge comme d'une porte de sortie du Plan intermédiaire où elle se trouve et qu'elle se dirige vers la lumière de la Divinité. » Je prononce ces mots à voix basse ou mentalement. À ce moment-là, il arrive que la flamme de mon cierge double ou triple de volume, et je sais qu'un défunt prisonnier des limbes para-terrestres a trouvé les voies de son salut.

À cet égard, rappelons qu'il n'est pas recommandé de « prier ses morts », mais de prier pour eux. Quand elle a quitté sa dépouille terrestre, l'âme a devant elle tout un travail d'élévation à faire, en quête de Dieu, quitte à accepter de revenir dans ce monde pour purifier encore son karma. Si nous l'appelons au secours, elle se retournera vers la Terre, vers le bas, au lieu de continuer son chemin ascensionnel. Les morts ont autre chose à faire que de nous venir en aide. Nous avons à notre disposition, pour ce genre de travail, une foule d'entités lumineuses : les Principautés, les Trônes, les Puissances, les Dominations, les Chérubins, les Séraphins, les Archanges, les anges, les saints faisant partie de cette cour divine. Et ceux-là aussi, pardonnez ma familiarité, il faut les houspiller, leur demander d'agir !

Mais pas n'importe comment. Si vous avez décidé que saint Antoine était le préposé aux objets perdus, ma foi, ce n'est pas un crime, mais avouez que cela témoigne d'une certaine naïveté. Vous avez tellement plus à obtenir, de saint Antoine, sainte Thérèse, saint Expédit, l'archange Gabriel, saint Michel et tant d'autres : votre ange gardien, les grands Vieillards... Toutes ces Hiérarchies à votre disposition, demandez-leur d'intercéder auprès de Dieu en votre faveur, pour retrouver vos clefs ou obtenir un emploi si cela vous chante, mais bien plutôt pour vous « montrer le chemin ». Dans la vie dite « courante », et dans votre vie spirituelle.

Mettre un cierge au pied de leur statue aide votre requête à monter vers eux. Une précaution, toutefois, s'impose : allumez ce cierge soit avec une allumette ou un briquet, soit à trois flammes de trois autres cierges. Car si vous allumez cette bougie à un seul cierge, vous perpétuez le vœu de la personne qui l'a posé là, et vous risquez parfois d'apporter votre contribution à un acte maléfique. Certains « croyants » demandent à Dieu de drôles de choses... Ne vous faites pas leur complice. Utilisez une première flamme, puis une deuxième, et une troisième : ce petit « tour » de magie opérative annulera les intentions négatives que pourrait colporter l'une ou l'autre de ces flammes. Votre vœu personnel va pouvoir monter librement vers qui de droit.

Et avant de supplier qu'on éloigne de vous les contrariétés, maladies, trahisons et dangers de toute sorte, commencez donc par demander qu'on apaise vos démons intérieurs...

Lorsque nous songeons à l'adversité, nous avons un peu trop tendance à ne penser qu'à ce qui nous vient de l'extérieur, à ce qui nous « arrive ». Or que nous arrive-t-il ? Des événements inéluctables, qu'il va falloir apprendre à surmonter, ou bien à contourner, et d'autres ennuis qui résultent simplement de notre comportement faussé. Dans ce dernier cas, un seul remède : changer ce comportement, en vue d'un mieux-agir et d'un mieux-être. On ne cherche pas autre chose quand on entreprend une psychothérapie.

Cela dit, beaucoup de « psy » vous diront qu'ajouter à ce nettoyage intellectuel une dimension sacrée ne peut qu'en magnifier les résultats.

Depuis la chute d'Adam, les forces du Mal se sont insinuées en nous et nous influencent malencontreusement. Ces forces, ce sont toutes les passions négatives – l'orgueil, l'envie, la haine... – que nous nourrissons en notre sein, chacun d'entre nous, si nous voulons bien avoir l'honnêteté de l'admettre. Dans leur immense majorité, les hommes n'ont que deux attitudes vis-à-vis de ce noir remugle intérieur. La première consiste à le refouler, à l'enfouir au plus profond de nous-mêmes : réflexe efficace à court terme, mais ces démons alors nous minent de l'intérieur, lentement, ils façonnent *a contrario* nos comportements, et nous éloignent chaque jour de notre être réel. D'ailleurs, leurs entraves sont fragiles : viendra bientôt le jour où ils resurgiront, plus puissants que jamais...

Pour tenter de couper court à cette lente corrosion interne, la deuxième attitude consiste au contraire à laisser libre cours à ces démons, à les extérioriser chaque fois qu'ils se manifestent en nous : nous explosons de colère, nous ne dissimulons plus notre envie, nous affichons notre orgueil... et nous « ratons » notre vie.

Alors évitons ces deux attitudes et armons-nous de courage. Affrontons ces dragons intérieurs. Nous devons faire mourir en nous l'homme de la passion-pulsion débridée, de cette « libido » dont Freud nous dit qu'elle dépasse de beaucoup le domaine sexuel et détermine la quasi-totalité de notre comportement. Cherchons à vaincre l'éternel ennemi, ce dragon ailé que saint Michel ou saint Georges terrassent de leur lance, comme nous le montre le pilier central du porche droit de Notre-Dame de Paris : l'adepte couronné tenant le livre de la Connaissance fracasse de sa lance-crosse le dragon qui jaillit du sexe de l'alchimiste endormi dans son lit. La même symbolique se retrouve dans le pied délicat de la Vierge écrasant l'antique serpent pour rendre à l'initié la virginité de l'esprit. C'est la parabole, picturale ou sculpturale, de la mort initiatique du vieil homme, et de la renaissance du nouvel homme, vierge et pur.

Mais pour que meure ce vieil homme de la folie mentale et que renaisse le jeune homme pur, le travail se révélera colossal. Il va falloir pénétrer nos tréfonds enténébrés, traquer les perversions de notre volonté. Il ne s'agit pas de se complaire dans la contrition et de se battre la coulpe en pensant : « Je suis un misérable » : la culpabilité est parfois trop commode, qui revient à baisser les armes en laissant entendre qu'on est ainsi, c'est bien dommage mais on n'y peut rien. Non, ce qu'il faut, c'est d'abord ne pas se mentir, apprendre à se connaître sans complaisance, et dans l'intention ferme de s'améliorer. Les soufis comparent volontiers l'âme à un miroir oxydé dont la rouille couvre la surface. « *Celui qui voudra le remettre en état devra s'acquitter de deux besognes,* nous dit Ghazali, le philosophe musulman du XIe siècle, *frotter et polir... Si, cédant aux appétits, l'homme persiste à provoquer les causes qui déterminent l'accumulation de la rouille sur le miroir de l'âme, son aptitude à refléter le vrai s'éclipsera totalement.* »

Le problème, c'est que le vieil homme ne veut pas se laisser évincer aussi facilement ! On sait qu'il nous empoisonne la vie, mais on a fini par s'y attacher, au point qu'on se dit que la maison paraîtra bien vide sans lui. Et pourtant, il va falloir venir à bout du dragon ailé de notre imaginaire passionnel. Nous avons calmé le mental, porté attention à notre mode de vie au quotidien, le moment est venu du grand lessivage en profondeur. Et sachons qu'il ne se fera pas sans efforts. Souvenons-nous des travaux d'Hercule : lorsque le roi Augias demande à celui-ci de nettoyer ses écuries, la tâche semble insurmontable. Que fait Hercule ? Il creuse une tranchée et il dévie un fleuve. Le flot va emporter avec lui tout le fumier. De quoi s'agit-il ? D'une histoire de palefrenier ? Dans ce mythe, celui qui a ouvert l'intelligence du cœur comprend qu'il ne faudra pas reculer devant les grands moyens pour se débarrasser de ce qui reste en lui des pièges de la matérialité, de tous ces désirs enfouis et inavoués, troubles malsains, vouloirs baroques, rêves de domination et de puissance. On ne peut se satisfaire d'un coup de serpillière, il va falloir nettoyer de fond en comble, sans tricher.

Il est temps d'entreprendre la descente aux Enfers des alchimistes, l'Œuvre au noir du corbeau qui frappe sur le sol, à coups de bec incessants, faisant croire aux vers enterrés que c'est la pluie qui tombe. Alors les vers remontent à la surface et le corbeau les mange : la pourriture du sol se trouve désormais extirpée...

Cet Œuvre au noir, vous seul pouvez le faire, personne ici-bas ne peut vous y aider. Il n'est pas nécessaire de se retirer dans son ermitage pour accomplir ce travail. Sans doute, une retraite temporaire peut s'avérer utile pour faire le point, pour prendre le recul nécessaire, mais c'est au jour le jour que le combat doit être mené.

Et si cela peut vous donner de l'ardeur à la tâche, sachez que non seulement votre karma bénéficiera de ce labeur ardu, mais aussi votre bonheur terrestre.

Pour préparer le terrain de l'introspection, il existe un exercice simple, à faire au quotidien : l'examen de conscience. Encore une fois, il ne s'agit pas uniquement de penser « c'est ma faute, ma très grande faute », et de s'infliger des pénitences proportionnelles à ses « péchés », quitte à replonger demain dans les mêmes erreurs. Il est impératif de procéder d'abord en toute honnêteté à cet « examen », dans le but de remédier à nos travers. Après tout, les séminaires qui réunissent les cadres des grandes entreprises leur conseillent une « mise au point » analogue dans la gestion des relations humaines : ai-je bien fait de traiter ainsi Untel ou Untel, d'avoir poussé un « coup de gueule », d'avoir menti éhontément sous prétexte de diplomatie alors qu'il s'agit de lâcheté, etc., toutes ces questions visant à nous faire modifier notre manière d'être, pour une meilleure gestion de notre vie professionnelle.

L'examen de conscience, lui, va évidemment plus loin. Il s'attaque à beaucoup plus profond, et le but recherché est non seulement une plus grande harmonie spirituelle, mais aussi un bonheur retrouvé dans notre parcours terrestre. Répétons-le : la quête de la Lumière n'est pas faite de renoncements frustrants, mais d'une libération dont nous allons bénéficier – aussi – au quotidien.

Or, si nous y réfléchissons bien, qu'est-ce qui fausse le plus notre jeu de la vie ? La gourmandise, l'envie, la luxure, la colère, la paresse, ou principalement l'orgueil ? C'est évidemment l'orgueil, le péché capital. C'est de lui que découlent presque tous nos défauts.

Orgueil qui entraîne à comparer son propre sort avec celui de son entourage, au point qu'on finit par se compromettre avec ceux dont on envie la réussite, alors qu'on ne les admire pas toujours. Oubliez les mondanités, mais ne faites pas non plus semblant d'être au-dessus de la mêlée, ce serait la pire des vanités.

Orgueil qui nous fait cultiver le goût du pouvoir pour le pouvoir. La seule façon de bien exercer le pouvoir, c'est d'assumer ses responsabilités. Le reste n'est que déviance : vanité, gourmandise effrénée pour les plaisirs ostentatoires, conquêtes amoureuses qui relèvent de l'argent ou de la carte de visite, luxure, débauche, et la cruauté qui s'ensuit quand on s'aperçoit que rien de cela ne saurait nous satisfaire.

Orgueil encore, qui anime en nous le besoin d'être sans arrêt reconnus, et aimés. Faiblesse bien humaine, sans doute, mais qui nous fait souvent nous trahir nous-mêmes, voire trahir les autres, afin de plaire. Désir d'être encensés au-delà des moyens de notre entourage, qui provoque en nous de fabuleuses colères, des indignations égocentriques, quand ce n'est pas de la paranoïa. Alors que si nous étions moins paresseux, nous nous acharnerions d'abord à nous plaire à nous-mêmes, à nous accepter tels que nous sommes ou à nous améliorer : nous serions dans ce cas beaucoup moins boulimiques de déclarations d'amour et de compliments et, comme par hasard, c'est à ce moment-là qu'ils viendraient.

Orgueil enfin de la tentation suprême : se prendre pour un futur saint ! Contentons-nous d'être des initiés, de ces êtres qui ont entrepris la route (et non de ces êtres qui savent tout). Méfions-nous des révélations factices. Les gens ont besoin d'un supplément d'âme, en ces temps de matérialisme, soit ! Mais qu'ils n'aillent pas le chercher n'importe où ! Prenez garde à ceux qui prétendent avoir découvert les arcanes du Savoir : le vrai chemin intérieur est fait d'humilité.

Pour mater cet orgueil satanique, cause première de la chute d'Adam, rien de tel donc que l'examen de conscience. Les soufis ont beaucoup insisté sur l'importance de cet examen, considéré comme l'un des meilleurs moyens d'approche de la perfection. Certains maîtres conseillaient de noter sur un carnet, matin et soir, toutes les pensées, intentions, actes ou paroles qui avaient pu nous détourner chacun de la Voie. « *Demandez des comptes à votre âme, avant qu'Allah ne vous en demande* », nous dit le Prophète.

Et demandons, là encore, à Dieu de nous aider. Avec un nouveau point de vue. En sachant que si nous subissons des épreuves dont nous ne comprenons pas la portée, nous sommes responsables de beaucoup de nos déboires. Chassons nos démons intérieurs. Et sachons qu'ils ne partiront pas au premier coup de balai. Nos tares sont enracinées, la seule « résolution » rationnelle ne peut suffire à les déloger.

L'âpreté de cette lutte contre Satan qui s'est introduit en nous – car il ne s'agit pas d'autre chose – se trouve spectaculairement exprimée dans les Psaumes de la Bible autant que dans le Coran, et même dans le bouddhisme, où le fidèle réclame la destruction de ses ennemis : « Brandis la lance et la pique contre mes poursuivants ! », « Brise en leur bouche leurs dents », « Fais périr les imposteurs... » Ces imposteurs, ces impies qui persécutent le juste, ce sont moins des personnes physiques que nos démons intimes. Dans l'islam, la fameuse Guerre Sainte – le *djihad* –, malheureusement interprétée comme une volonté de conquête militaire, n'est en fait rien d'autre que l'« effort sur le chemin de Dieu ». C'est si vrai que pour mieux marquer la différence, les soufis appellent « petit djihad » le combat mené les armes à la main, et « grand djihad » le combat que l'homme doit livrer contre ses passions.

Nous devons être en permanence des combattants sur le pied de guerre : le Bouddha, au pacifisme bien connu, est cependant lui aussi présenté comme un « guerrier en armure ». La victoire espérée, c'est celle que nous obtiendrons sur l'ego, sur l'anarchie des puissances démoniaques. C'est la conquête des forces vives de notre équilibre intérieur, la réalisation de l'unité, la découverte de notre noyau central, et la restauration de la Lumière.

Quand nous serons ainsi restructurés, il est probable que nos rapports à autrui vont beaucoup y gagner. N'oublions pas que nous aussi, nous émettons des ondes vers notre entourage. Si nous nous trouvons en harmonie, cet entourage se sentira « bien » auprès de nous et nous voudra, partant, nettement moins de mal.

L'expression « l'Enfer, c'est les autres » est un piège démoniaque. Elle renforce notre autocomplaisance, nous persuade que nos échecs professionnels ou sentimentaux échappent à notre responsabilité. Elle est surtout, elle aussi, une formidable manifestation de notre orgueil : avons-nous une telle importance que l'humanité entière ait envie de se liguer contre nous ?

Cela dit, les autres existent, et ils ne sont pas tous animés de bonnes intentions à notre égard, c'est exact. Certains êtres se révèlent même carrément maléfiques, et leurs seules pensées de haine à notre endroit peuvent nous atteindre, nous affaiblir, fausser notre manière d'agir.

SE PROTÉGER DE SES ENNEMIS

N'allez cependant pas vous croire envoûté chaque fois que vous vous sentez tourmenté par des forces inexplicables. Les cas d'envoûtement sont excessivement rares. Mais il est vrai que l'Église elle-même en reconnaît certains puisqu'il existe en son sein des prêtres exorcistes, dont on peut obtenir l'adresse facilement auprès de la hiérarchie catholique. Dans quelques civilisations animistes, comme il y en a en Afrique, on peut trouver des êtres capables, par des moyens magnétiques et vibratoires, de capter la pensée de quelqu'un et de dévier ainsi son libre arbitre. Mais en règle générale, nos ennemis ne vont pas si loin. Tel cousin avec lequel nous sommes en bisbille d'héritage, tel collègue de bureau qui voudrait prendre notre place ne vont pas forcément passer leurs week-ends à planter des épingles dans une figurine de cire à notre image. Il n'empêche qu'ils peuvent fort bien nous envoyer de telles vibrations négatives, souhaiter si fort que les choses s'enveniment pour nous qu'ils perturbent à notre insu notre concentration et notre confiance en nous-mêmes.

Les plus francs manifestent clairement leur inimitié, nous attaquent parfois dans notre travail ou notre famille. D'autres se révèlent beaucoup plus sournois, parent leur haine de sourires factices et ruminent en secret leurs noirs desseins. Sans tomber dans le délire de la persécution chaque fois que les choses ne marchent pas comme nous le voulons, nous pouvons être alertés par des embûches à répétition assez inexplicables, une fatigue anormale, de mauvaises pensées qui soudain nous assaillent, une paresse inattendue, des colères inhabituelles, le spleen ou le découragement. Quand les intentions sont particulièrement fortes vient la manifestation la plus flagrante de ces phénomènes : nous n'avons plus envie de prier, nous oublions de le faire, nous ne le pouvons plus.

C'est pourtant le moment ou jamais de s'accrocher aux Textes, comme nous l'avons conseillé plus tôt : à la ligne la ligne, au mot à mot, à haute voix et sans faillir. Les Psaumes de la Bible ne nient en aucune manière les assauts de ces ennemis extérieurs : « *Pitié pour moi, ô Dieu, on me harcèle, tout le jour des assaillants me pressent*, lit-on dans le Psaume 56. *Délivre-moi de mes ennemis, mon Dieu, contre mes agresseurs protège-moi, délivre-moi des ouvriers du mal, des hommes de sang sauve-moi.* » Jésus lui-même, quand il libère un enfant « démoniaque épileptique » possédé, ne dit-il pas à ses disciples : « *Cette espèce-là ne peut sortir que par la prière* » (Marc, IX) ?

Cela dit, outre l'appel à l'aide divine, nous pouvons nous-mêmes recourir à des techniques pratiques de protection, sans pour autant nous laisser entraîner dans une quelconque lutte d'influences. Il ne s'agit pas de rendre coup pour coup, mais de neutraliser une attaque, sans rancœur aucune.

Nous avons déjà parlé de l'utilisation du sel pour protéger votre maison des indésirables. On pourrait ajouter l'eau, dont nous avons mentionné également les vertus purificatrices. Lorsque vous avez approché quelqu'un dont vous ressentez fortement l'aura négative, allez dans la salle de bains, ouvrez le robinet d'eau froide et aspergez-vous généreusement le pli du bras : toutes les énergies négatives sont coupées net et s'écoulent avec l'eau qui ruisselle le long du coude. C'est une protection efficace chaque fois que vous avez prononcé le nom d'une personne qui vous met mal à l'aise, ou lorsque vous avez serré la main de quelqu'un de dangereux – les exigences de la vie professionnelles sont ainsi faites qu'on peut difficilement refuser ce contact. N'oubliez pas non plus l'eau bénite, que vous pouvez vaporiser dans votre maison ou votre lieu de travail, sans penser nécessairement à une personne déterminée, juste pour désarmer les ennemis inconnus.

Une de mes recettes de protection privilégiée reste cependant l'utilisation du miroir. Les taoïstes lui prêtent la vertu de révéler la nature des influences malfaisantes et de les repousser. Aussi placent-ils souvent un petit miroir au-dessus de leur porte. Quant aux chamans de l'Asie, ils portent des costumes sur lesquels ils ont cousu des éclats de miroir, censés les protéger contre les pointes des esprits méchants. J'ai peut-être retrouvé instinctivement de telles pratiques lorsque j'ai créé des robes incorporant des plaques de métal poli et réfléchissant...

Quoi qu'il en soit, il existe plusieurs « techniques du miroir », ou plutôt plusieurs variantes d'une même technique. Nous avons évoqué celle de l'« œuf de lumière » qui vous isole dans les lieux publics. Supposons maintenant qu'une personne pratique la magie noire sur vous, ou plus simplement vous agresse de ses vibrations basses. Chez vous, par précaution, à l'occasion d'une méditation, transformez-vous mentalement en miroir. Puis imaginez la personne en question comme une silhouette sombre en face de vous, et adressez-vous à elle : « Contemple-toi dans ce miroir ; tout ce que tu me donneras, *par amour*, je te le renvoie en mille. » Si cette personne n'a eu pour vous que des sentiments positifs, elle va se trouver récompensée par des bienfaits extraordinaires. En revanche, si elle a eu des pensées négatives, le coup de fouet en retour sera aussi terrible qu'automatique... Ce n'est pas vous qui aurez formulé ce souhait, puisque vous n'avez fait allusion qu'à ce qu'elle envoie « par amour », mais c'est la Loi. Et n'oubliez jamais cette Loi, si par hasard vous vous surprenez à souhaiter du mal à quelqu'un : les pensées nocives ont toutes les chances, tôt ou tard, de revenir vers vous comme un boomerang.

Une autre méthode consiste à cerner d'une certaine manière celui ou celle qui peut avoir de mauvaises intentions à votre égard. Il peut s'agir de quelqu'un qui œuvre en secret, ou de quelqu'un qui vous traite avec trop d'injustice, de jalousie, un collègue qui glisse des « peaux de banane » sur votre parcours, un patron tortionnaire, une femme égarée par la jalousie. Visualisez l'auteur de ces persécutions comme s'il était enfermé dans un cube dont l'intérieur serait tapissé de quatre miroirs. De quelque côté qu'il se tourne, l'individu se trouve ainsi confronté à ses mauvaises pensées et à ses turpitudes. Non seulement ses vibrations négatives seront alors neutralisées « dans l'œuf », mais vous lui donnerez une chance de prendre conscience de ses égarements. « Comment peut-on se venger d'un ennemi ? » demandait-on un jour au philosophe Diogène. « En faisant de lui un honnête homme », répondit-il sans hésiter.

Mais souvenez-vous, là encore, que vous devez toujours prendre garde à ne pas gâter cette technique par votre propre animosité. « *Une aimable réponse apaise la fureur,* lit-on dans les Proverbes (XV, 1), *une parole blessante fait monter la colère.* » Un dicton babylonien disait déjà : « Avec celui qui te cherche querelle n'agis pas mal, à celui qui t'a fait du mal rends du bien. » Il convient donc d'entourer cette cage de miroirs d'un amour absolu, en demandant à Dieu de venir en aide à la personne circonscrite. Et ne craignez pas qu'elle profite de cette aide divine pour vous causer du tort. Les puissances célestes n'apporteront jamais leur concours à de vils desseins...

Soyez donc vous-mêmes vigilants sur l'intention profonde qui motive vos exercices de protection. J'insiste ! Je suis parfois horrifié d'entendre certains pseudo-guides conseiller à leurs disciples de couler mentalement leur ennemi dans du béton ! Par cette pensée criminelle, vous ne ferez qu'alourdir votre karma.

Et vous perdrez le soutien bienveillant de votre ange gardien... Car les puissances célestes ne nous protégeront que tant que nous serons justes. Si dans nos méditations nous demandons une faveur injuste, égoïste, qui va causer du mal à autrui, ces être divins ne nous aideront pas, bien au contraire.

LE TEMPS PRÉSENT

Un choc en retour viendra nous réveiller et nous ouvrir les yeux... C'est plus fréquent qu'on ne le croit : les gens se servent souvent de leurs médailles ou autres objets-relais pour faire le mal. Et ils s'étonnent ensuite de payer les conséquences, à plus ou moins longue échéance, de leur pensée néfaste. Si la tentation vous prend de les imiter, souvenez-vous du Psaume 7 : si l'homme ne se reprend pas, *« qu'il affûte son épée, qu'il bande son arc et l'apprête, c'est pour lui qu'il apprête les engins de mort et fait de ses flèches des brandons ; le voici en travail de malice, il a conçu la peine, il enfante le mécompte. Il ouvre une fosse et la creuse, il tombera dans le trou qu'il a fait ; sa peine reviendra sur sa tête, sa violence lui retombera sur le crâne ».*

Cette mise en garde est d'autant plus importante à mes yeux que l'initié va sans doute rencontrer sur le chemin de sa quête la tentation d'exercer sur son entourage certains des pouvoirs qu'il ne va pas manquer de se découvrir. Car plus on approche de la connaissance de soi, plus les capacités d'agir sur le monde psychique se développent. Cette situation nouvelle peut se révéler périlleuse. J'ai raconté dans *Trajectoire* comment moi-même, dans ma jeunesse, j'ai pu mettre mon potentiel de médium au service de fins personnelles et combien je l'ai payé cher. La recherche ésotérique n'est pas forcément un long fleuve tranquille : elle peut être jalonnée de dangereux écueils. Mal comprise, mal appliquée, elle devient destructrice. Certains ne cherchent le « feu sacré » de la Connaissance que pour l'utiliser à leur profit, alors que nous devons entrer dans ce monde des symboles avec un esprit pur, clair, pour aider les autres et pour élargir notre champ de conscience.

En revanche, s'il est humble et sincère, l'initié va se rendre compte que ses meilleures protections vis-à-vis des autres, ce sont les pensées positives qu'il émet à leur égard. Ce champ positif est notre plus solide bouclier, car il empêche nos « ennemis » de nous nuire. D'une manière qui nous paraîtra d'abord paradoxale, en tout cas surprenante, c'est en leur souhaitant sincèrement beaucoup de bonheur que nous nous mettrons le mieux à l'abri de leurs méfaits. Et vous verrez que la personne va vous oublier, ou mieux, prenant conscience des effets destructeurs de son comportement, elle fera vers vous un pas de réconciliation. Pour vous les retombées seront doubles : vous aurez mis un terme aux agressions extérieures, et vos pensées positives vont vous revenir. Car nul n'échappe, en mal comme en bien, à la loi de l'effet « boomerang ».

J'entends d'ici évidemment vos récriminations : « Il n'est pas si simple de souhaiter du bonheur à quelqu'un qui manifestement cherche à vous nuire. Et comment souhaiterais-je à mon rival le bonheur qu'il convoite, à savoir de prendre ma place, dans un cœur ou dans un bureau ? »

Vous échapperez à ces difficultés si au lieu de vœux païens à l'égard de vos persécuteurs, vous utilisez la prière. Car là aussi, leur bonheur n'est pas celui qu'ils pensent, mais celui que Dieu leur réserve. Et il est beaucoup plus facile de se recueillir en méditation afin de « prier » pour qui nous a nui que de rationnellement désirer des bienfaits pour lui. Car là nous quittons le raisonnement mesquin qui tient compte de nos émotions matérielles pour nous replacer dans l'enseignement suprême, transmis par le Christ : « *Vous avez entendu qu'il a été dit : Tu aimeras ton prochain et tu haïras ton ennemi. Eh bien ! moi je vous dis : Aimez vos ennemis, et priez pour vos persécuteurs, afin de devenir fils de votre Père qui est aux cieux, car il fait lever son soleil sur les méchants et sur les bons, et tomber la pluie sur les justes et les injustes.* »

En clair, le châtiment comme les récompenses appartiennent à Dieu. Contentons-nous, en ce qui concerne les autres, de calmer le jeu des aversions et jalousies terriennes et faisons un pas en avant dans la compréhension qui manque tellement à cette fin de l'Âge de Fer. Comme l'a dit Mgr Gaillot : « Une fois que l'on a prié pour les gens, on ne peut plus les rencontrer de la même manière... »

Il serait temps de nous souvenir que nous sommes tous des créatures divines, et que, dans l'immense danger qui menace la planète en ces années de violence, nous ferions bien de nous unir au lieu de nous attaquer. Sortons de nos médiocres chicanes : elles ne sont même pas des poussières au regard du Cosmos. Sachons nous resituer par rapport à la Création, nous nous sentirons beaucoup plus sereins.

CHAPITRE CINQUIÈME

SE SITUER PAR RAPPORT AU COSMOS

Toute chose est en harmonie avec moi, qui est en harmonie avec toi, ô Univers. Rien n'est trop précoce ou trop tardif, de ce qui est de saison pour toi. Toute chose est fruit pour moi, que m'apportent tes saisons, ô Nature : car de toi tout vient, tout est en toi et c'est en toi que tout retourne.

Marc Aurèle

« *Dieu, créateur du Ciel et de la Terre.* » Quand on sait combien cette Terre porte encore de splendeurs naturelles, quand on imagine les milliards d'étoiles, de planètes et de galaxies qui forment le Cosmos, l'émerveillement s'impose, et un sentiment de respect religieux. Je regrette que tout le monde ne puisse faire l'expérience des astronautes, qui ont eu l'occasion extraordinaire d'embrasser d'un seul regard la grande sphère lumineuse de Gaïa, notre planète bleue. Cette vision globale leur donne un aperçu du Tout cosmique, et les éclaire sur la formidable convergence entre les mécanismes universels et leur être propre. On imagine aisément qu'un tel spectacle puisse changer bien des comportements. Car alors, et paradoxalement, loin d'éprouver face à l'immensité une impression de totale insignifiance, on découvre qu'on fait partie de ce

Tout cosmique, de cette Création et que, partant, chacun a – grâce à Dieu – une importance colossale.

À condition toutefois de se resituer par rapport au Cosmos, de ressentir en profondeur sa consubstantialité au Tout, et de s'en réjouir comme il se doit.

Hélas, nous ne sommes pas tous des astronautes, et les touristes amateurs de clichés-souvenirs qui se bousculent sur les sites trois étoiles sont souvent loin de la contemplation. De surcroît, la plupart des êtres humains de cette fin de l'ère des Poissons vivent dans des lieux qui ne les enchantent guère, et leur mal-être dépend pour une bonne part de cette disharmonie entre eux et leur environnement, surtout lorsque celui-ci est urbain, ce qui est le cas de l'immense majorité de la population dans les pays dits développés.

Or vivre pleinement le Temps présent consiste à s'absorber dans le « maintenant », mais également dans l'« ici ». Nous évoluons dans un « espace-et-temps » indissociable. Et malheureusement, nous commettons la même erreur dans notre relation à l'espace que dans notre rapport au temps. Nous regrettons un Éden enfantin ou adamique, ou bien nous rêvons d'un ailleurs exotique. Nous oublions que l'endroit où nous vivons, nous l'avons choisi au moment de notre incarnation sur Terre. Avant de redescendre ici-bas, nous avons opté pour un couple de géniteurs, et du même coup pour un lieu, une tradition, des racines. Cela peut paraître révoltant si nous avons des parents indignes ou des conditions de vie misérables, mais ce sont quand même les outils que nous avons décidé d'utiliser pour accomplir notre travail d'allégement karmique. Alors pourquoi nous sentir ainsi déracinés, apatrides, ou simplement « décalés » ?

Je ne cesse de rencontrer des gens qui se déclarent insatisfaits de leur condition, et du lieu où ils habitent. Dans leur bouche revient le même leitmotiv : « Comme j'aimerais quitter cette ville, cet appartement, cet entourage ! » Je leur réponds invariablement : « Si vous êtes mal ici, c'est que vous êtes mal dans votre peau (expression qui retrouve toute sa saveur quand on se réfère à la réincarnation). Ailleurs, vous resterez les mêmes, vous n'aurez donc rien résolu. »

Où que l'on aille, on ne peut faire autrement que de s'emporter avec soi. Alors, avant de rêver de plier bagages, au lieu de vouloir « changer de décor », pourquoi ne pas essayer plutôt de changer notre rapport au monde ?

Nous aurons accompli un grand pas lorsque nous aurons admis que notre bonheur doit se conquérir là où nous sommes, en menant à bien cette réoccupation de la demeure que nous tentons de réaliser depuis le début de notre quête. Cette demeure, nous l'avons vu, c'est notre corps, et sans doute notre âme, mais c'est aussi cet espace physique dans lequel nous évoluons, et que nous pouvons étendre à des cercles concentriques de plus en plus vastes : une pièce, une ville, une planète, le Cosmos tout entier... Mais tout part du noyau de notre être, ne l'oublions jamais. Et le seul voyage qui compte vraiment, c'est celui que découvraient finalement les chevaliers de la Table ronde partis en quête du Graal. Lorsqu'ils revenaient bredouilles à

Camelot, auprès du roi Arthur, Merlin les accueillait avec cette question : « Avez-vous trouvé ce que vous cherchiez ? » Comme ils avouaient penauds leur échec, l'Enchanteur leur disait en riant: «Asseyez-vous à la Table ronde et recommencez votre voyage, cette fois à l'intérieur de vous-mêmes.» Cette Table ronde symbolise à la fois le centre de notre être et le disque de l'immensité cosmique. Nous rejoignons la parole de Bouddha, qui disait en substance: «*Le meilleur mouvement est dans l'immobilité car c'est ainsi que l'on trouve l'Univers en soi.* »

Nous verrons que nous pouvons parvenir à cette intériorisation révélatrice de l'Univers grâce à la méditation, mais sans doute faudra-t-il être encore plus avancé sur le Chemin. En attendant, sachons profiter des richesses que nous offre encore ce monde-cathédrale, au lieu de le considérer tantôt comme foncièrement hostile, tantôt comme un esclave corvéable à merci. Seule l'inertie et l'engluement dans la matière sont sataniques, ne l'oublions pas : la Nature en elle-même, telle que Dieu l'a créée, est magnifique! Commençons donc par retrouver, en toute humilité, la magie de notre planète, sa beauté divine, les esprits qui la hantent et qui ne nous sont pas hostiles, loin de là. Sachons nous enchanter de la réalité terrestre, utiliser les éléments pour nous régénérer. Peut-être alors, comprenant quels trésors demeurent encore à notre disposition, aurons-nous à cœur de les préserver.

*
**

SE SITUER PAR RAPPORT AU COSMOS

On me rétorquera qu'il est difficile d'envisager les splendeurs de la Terre dans les agressions urbaines que représentent le bruit, le béton, la pollution et les embouteillages. Pourtant, à peu de kilomètres des grandes agglomérations subsistent encore des prairies, des forêts, des rivières et des marais, des lacs ou des cascades, des sentiers de campagne. Pourquoi, en dehors des jours de cueillette de champignons ou de muguet, n'y trouve-t-on quasiment personne ? L'homme moderne a tendance à considérer la Nature comme une force déraisonnée qu'il a pour mission de mettre au pas – barrages, aménagements des grands fleuves, investissements des sites pour telle autoroute ou train à grande vitesse, épuisement des sols – quand il n'en fait pas simplement une vaste poubelle. Et ensuite, sans la moindre vergogne, il déclare cet environnement hostile, défiguré, « plus comme avant », ne retenant des choses qui l'entourent que leur aspect démoniaque, au lieu d'aller chercher à côté de chez lui ce qui reste de divin. Nous ne pensons que macadam, nous parlons de « cadre » de vie, comme pour souligner inconsciemment que nous nous y trouvons enfermés, hésitant entre la tentation d'un cocooning léthargique et une désagréable claustrophobie. Nous nous sentons à l'étroit, nous manquons d'air...

Redevenons capables de changer notre regard, de faire quelques pas vers tout ce qui, sur Terre, vibre encore de vie et de force. Car autour de nous se mêlent, dans un ballet incessant, les quatre éléments de la Tradition, l'eau, l'air, le feu et la terre.

Autant de pouvoirs dynamisants, dont nous devons réapprendre à nous servir.

À l'aube de l'ère du Verseau, nous devons nous mettre en phase avec ces éléments simples qui forment la Nature. Notre bien-être quotidien comme la survie de l'humanité passent par ce doux animisme. Il faut revenir aux rituels d'harmonisation, imiter chaque fois qu'on le peut l'alchimiste qui ne manquait pas, avant ses opérations, de réciter l'hymne ancien d'Hermès Trismégiste. « *Univers, sois attentif à ma prière ! Terre, ouvre-toi, que la masse des eaux s'ouvre à moi. Arbres, ne tremblez pas ; je veux louer le Seigneur de la Création, le Tout et l'Un. Que les cieux s'ouvrent, et que les vents se taisent. Que toutes les facultés qui sont en moi célèbrent le Tout et l'Un.* »

Je passerai rapidement sur le premier élément, l'eau, puisque nous avons déjà parlé de ses vertus purificatrices et revigorantes. Tous, médecins ou vacanciers, connaissent bien la force thérapeutique des bains de mer, comme des sources thermales. Mais si vous faites de ces immersions un rite sacré, vous y puiserez mille fois plus d'énergie. La simple contemplation de la mer peut d'ailleurs s'avérer aussi bénéfique que le bain ou l'absorption d'eau minérale. Le Tao attribue ainsi à l'élément liquide une valeur d'enseignement incomparable (chapitre 8) :

> *«La bonté transcendante est comme l'eau,*
> *L'eau aime faire du bien à tous les êtres ;*

SE SITUER PAR RAPPORT AU COSMOS

*Elle ne lutte pour aucune forme ou position
[définie
Mais se met dans les lieux bas dont personne
[ne veut.
En ce faisant, elle est l'image du Principe.
À son exemple, ceux qui s'abaissent, se
[creusent,
Sont bienfaisants, sincères, réglés, efficaces et
[se conforment aux temps. »*

Le deuxième élément est le feu. Notre feu naturel, c'est avant tout l'astre solaire. La méditation dans la lumière du soleil matinal est certainement un des meilleurs énergisants qui soit. Les yeux mi-clos, en position de recueillement face à l'orient, vous vous sentez soudain pénétré et empli par un rayon lumineux qui « recharge vos batteries » de façon presque instantanée, comme si votre corps n'était plus qu'un capteur solaire. Et l'efficacité de vos techniques de méditation s'en trouve décuplée.

Prenez garde, toutefois ! Les éléments peuvent s'avérer tour à tour bénéfiques et maléfiques. Ainsi, s'exposer à la lumière de l'après-midi comme tous ceux qui vont sur les plages à partir de quatorze heures constitue un danger. Si la lumière blanche ou bleue du matin calme et soigne, le disque rouge ou orange à son zénith détruit, provoque des brûlures épidermiques, voire des cancers de la peau.

La terre qui nous soutient est elle aussi une merveilleuse pourvoyeuse d'énergie. C'est pourquoi, suivant en ceci les traditions indiennes, le premier travail du méditant consiste à s'ancrer dans le sol, à rechercher une bonne stabilité dans l'assise, afin de favoriser le flux vibratoire entre le Ciel et Gaïa. S'asseoir sur l'humus, toucher l'herbe sont des gestes bénéfiques, à condition bien sûr de ne pas faire de ces pratiques une superstition mais une simple « prise de contact » avec la Création, reflet de la volonté divine.

La terre, ce sont aussi les pierres et les cristaux. On redécouvre aujourd'hui les pouvoirs qu'une tradition plurimillénaire leur attribuait déjà. Et rassurez-vous : cette puissance n'est pas proportionnelle à leur valeur marchande. Vous pouvez vous procurer des cristaux à bon marché dont vous tirerez un grand profit. Vous pouvez aussi acheter des pierres dites précieuses ou semi-précieuses à l'état brut, ce qui réduit considérablement leur coût.

L'ambre fait partie de ces pierres « abordables », et elle est plus facile à trouver de nos jours qu'à l'époque où les Grecs et les Romains parcouraient des milliers de kilomètres pour la prélever dans les pays baltes. Il s'agit en fait d'une résine vieille de sept millions d'années, qui provient d'anciens conifères. Cette convergence du minéral et du végétal donne à l'ambre un pouvoir de guérison et de protection formidable. Celle que je possède était très mate à l'origine, mais je l'ai réveillée par mes caresses, aujourd'hui elle est d'une brillance étonnante.

Je ne saurais m'étendre sur des pages et des pages concernant les vertus comparées des pierres et cristaux, améthyste, quartz, onyx, turquoise, saphir, tourmaline... et autres. De nombreux livres ont été consacrés à ce genre d'étude : au lecteur de trouver les meilleurs. J'attire seulement votre attention sur le fait qu'on ne manipule pas étourdiment les pierres, sans connaître leurs particularités ainsi que leur pouvoir. Or ce pouvoir diffère radicalement selon qu'elles sont dextrogyres ou sénestrogyres. Les pierres se forment en effet en tournant vers la droite – elles seront dites dextrogyres – ou vers la gauche – elles seront alors sénestrogyres. Les premières accélèrent et amplifient l'énergie. Elles peuvent donc nous revitaliser... mais aussi se révéler parfois dangereuses. Si vous souffrez d'une maladie, elles vont « réactiver » le processus pathologique.

Les pierres sénestrogyres, au contraire, « avalent » les énergies. En les tenant dans votre main lors de vos méditations, ou en les passant sur la partie souffrante de votre corps, vous pourrez absorber les ondes négatives et les proliférations malignes. En revanche, elles risquent de vous affaiblir, car elles absorbent aussi bien les énergies positives. Une de mes amies, à qui j'ai offert une améthyste, a pour habitude de se libérer de tout son stress professionnel en posant cette pierre sur son chakra frontal avant de s'endormir. Le résultat, me dit-elle, est spectaculaire. Je lui ai néanmoins conseillé de ne pas garder l'améthyste toute la nuit près d'elle, et de prendre quelques gélules d'oligo-éléments pour compenser la déperdition énergétique que représente son exercice vespéral.

Comment savoir si vous avez affaire à une pierre énergisante ou «libératrice»? Si vous êtes éveillé dans ce domaine, vous pouvez le sentir d'instinct. Vous pouvez aussi, en observant ses effets (vitalisants ou « effaçant » le mal de tête, le stress ou autre), savoir si votre pierre est sénestrogyre ou dextrogyre.

Inutile de préciser, je suppose, que les bienfaits des pierres et cristaux ne sauraient vous épargner une consultation médicale en cas de problème de santé. Les roches ont des vertus, pas des pouvoirs « miraculeux », ni de diagnostic : elles n'ont pas fait leur médecine !

Quant à l'air, qu'il soit marin, alpin ou campagnard, le bon sens n'a cessé de chanter ses vertus. Sauf que l'air pur se fait rare, et que maintenant nous déchantons ! L'air vicié de nos villes, et plus généralement l'atmosphère de plus en plus dégradée qui englobe la planète non seulement se révèlent dangereux pour notre santé, mais ne sont certainement pas étrangers à la violence croissante du monde. Des études ont montré que les nuages de pollution qui stationnent au-dessus de nos mégapoles influaient directement sur notre agressivité et notre stress. Qui nous libérera de cette lourde puanteur ?

Quoi qu'il en soit, essayons d'aller respirer le plus souvent possible là où les tuyaux d'échappement des voitures n'accentuent pas la pollution. Et, plus symboliquement, rappelons-nous que l'air symbolise le monde subtil, intermédiaire entre le Ciel et la Terre. Dans la Bible, il est considéré comme porteur d'enseignements et de messages. David consulte Yahvé en prêtant attention au bruissement du vent à la cime des micocouliers (Deuxième Livre de Samuel, V, 24). Lorsque nous nous livrons à nos exercices respiratoires, préambules à la méditation, souvenons-nous que le souffle est synonyme d'Esprit divin, qu'il est cette « haleine de vie » transmise de Dieu vers l'homme. Réapprenons à l'entendre dans la brise légère comme dans les bourrasques de la tempête.

Celui qui n'a pas été ravi par le frémissement des feuilles sous le vent, ni par le murmure d'un ruisseau, celui qui n'a jamais pétri entre ses doigts une poignée d'humus ou ne s'est jamais extasié devant les chatoiements flamboyants d'une pierre est à plaindre : il fait partie de ceux qui ont des yeux pour voir, des oreilles pour entendre, mais qui ne voient rien et n'entendent rien.

Lorsque, au contraire, nous apprendrons à nous servir de tout ce qui nous est offert, au quotidien, nous emmagasinerons déjà des trésors de force et de joie. L'homme qui suit cette voie sera « *comme l'arbre planté auprès des cours d'eau ; celui-là portera fruit en son temps et jamais son feuillage ne sèche ; tout ce qu'il fait réussit* » (Psaume 1).

Dans mon émerveillement pour la Nature, je porte une attention toute particulière aux arbres, peut-être parce qu'ils combinent de façon si fertile les quatre éléments : la terre enserrée dans leurs racines, l'eau qui se mêle à leur sève, le feu qui se cache dans leur bois, prêt à jaillir, et enfin l'air qui agite leur feuillage (et qui est purifié par lui).

LE TEMPS PRÉSENT

Comment ne pas éprouver un sentiment de révérence et d'humilité face à ces géants plusieurs fois centenaires – parfois même millénaires comme les séquoias – qui respirent la force et la puissance de vie ? Dressés vers le ciel, ils sont comme les emblèmes de l'ascension spirituelle du Cosmos. Il n'existe pas une civilisation qui n'ait glorifié l'arbre : le chêne celtique, réputé pour sa robustesse et sa longévité ; le bouleau, l'arbre sacré des populations sibériennes ; l'olivier symbole de paix ; le cèdre du Liban, dont on dit qu'il est le plus vieil arbre du monde, aujourd'hui menacé de disparition... Comment, dans une forêt, au milieu de ces « vivants piliers », ne pas se croire dans une cathédrale ?

Lorsque je me promène sous les hautes futaies, j'aime le contact rugueux de ces arbres, je les touche en les remerciant de l'oxygène qu'ils nous donnent. Les soirs de lune montante, s'appuyer le dos contre leur tronc procure une énergie extraordinaire. Dans certaines traditions indiennes, mais aussi en Afrique ou en Amérique du Nord, les jeunes mariés devaient embrasser littéralement les arbres pour protéger leur union des mauvais esprits et assurer la fécondité de leur couple.

Dans toutes les religions, l'arbre est symbole de vie et de Connaissance. C'est sous l'arbre de la Bodhi, sur la rive d'un fleuve, que le prince Gautama atteignit l'Éveil et devint le Bouddha. C'est sous le « jujubier d'Al Montaha » que le Prophète de l'islam eut la vision d'un ange (Coran LIII, 14). Au centre du jardin de l'Éden se trouve l'Arbre de vie, cet *axis mundi* autour duquel s'organise le Cosmos. « *Tout lieu saint dans le monde est placé au pied d'un arbre sacré* », lit-on dans le *Shiva Purana*, avant de se voir livrer une série de « recettes » pour en tirer profit : « *Celui qui adore le Grand Dieu sous la forme d'un linga au pied de l'arbre Bilva a l'âme purifiée et atteint Shiva avec certitude... Celui qui verse de l'eau sur sa tête au pied d'un arbre sacré peut considérer qu'il s'est baigné dans toutes les eaux sacrées de la Terre. En vérité il est sanctifié... L'homme qui accomplit le rituel d'adoration en offrant des parfums et des fleurs au pied d'un arbre Bilva atteint la sphère de Shiva. Son bonheur augmente, sa famille prospère.* »

Or, loin de prospérer, le genre humain court à sa perte, lui qui massacre toutes nos forêts, en particulier les forêts équatoriales, qui constituent – ou constituaient ? – notre ceinture de sécurité, vaste réservoir d'espèces végétales et animales... Privée de ce pilier cosmique qu'est l'arbre, la Terre risque de retourner au chaos...

Rassurez-vous, je ne suis pas en train de demander à l'homme de regrimper dans les branches ! Il ne s'agit pas de prôner un retour à la nature au sens strict mais une prise de conscience que cette Nature est notre soutien, notre base, et que nous ne pourrons survivre sans elle.

Mais il est évident que ce sens du sacré, nous devrions le ressentir aussi dans nos villes. Traditionnellement, leur emplacement et la construction urbaine étaient déterminés en étroite relation avec les quatre éléments : les fondateurs se fiaient à la position des astres, ou bien à la convergence des eaux, des vents, ou à celle des lignes de force telluriques. Les nomades pouvaient se regrouper autour d'un arbre-balise, d'un totem ou d'un autel. Les villages se créaient autour d'un rocher, au pied d'un tertre ou d'une montagne magique. Et quand il n'y avait rien de tout cela, on édifiait un tumulus, une pyramide ou une cathédrale. Il s'agissait toujours d'établir un lien entre notre petite parcelle terrestre et l'immensité du Cosmos. En tout cas, le lieu choisi n'était pas un point inerte, indifférent, mais le croisement de forces magnétiques, une sorte de nœud magique. Chaque habitant pouvait se sentir dans le nombril du monde. La cité se voyait parée d'une symbolique maternelle et protectrice, espace de gestation dans lequel l'homme, toujours en contact avec les énergies terrestres, pouvait s'élever paisiblement vers le monde céleste.

Comme nous sommes loin aujourd'hui de cette sagesse ancienne ! Rares sont les vieilles villes qui ont su conserver intacte une organisation spatiale porteuse de sens. Au Moyen Âge, les cathédrales communiquaient clairement un sentiment, un message : aujourd'hui, elles apparaissent « déplacées », muettes. Ce manque de repères identifiables engendre un sentiment d'insécurité. Les villes modernes distillent une angoisse sourde, avec leurs perspectives arbitraires, leurs parkings immenses, leurs interminables couloirs souterrains, leurs galeries commerciales sans âme...

Les constructeurs ont voulu compartimenter, rentabiliser, « zonifier » l'espace à l'extrême, ils ont fini par stériliser ses qualités subtiles. Dépourvus de toute référence symbolique, les tracés géométriques exercent une dictature néfaste sur nos comportements. Les seules lignes de force dont on tienne encore compte sont les axes de circulation des marchandises, à moins que, totalement débordé, on n'ait renoncé à toute tentative de planification intelligente... Métropoles américaines taillées au cordeau, sans vrai centre ville, ou pieuvres anarchiques du tiers-monde : le résultat est toujours le même, la violence urbaine sous toutes ses formes. Modernes Babylone, aux antipodes de la Jérusalem céleste...

Que faire ? Vous me direz que c'est avant tout la responsabilité des urbanistes et des architectes. Sans doute, mais en attendant qu'ils modifient leur vision du monde, nous pouvons essayer de réinventer nos propres rites d'orientation. Dans nos déplacements quotidiens, nous devons imiter le geste du fondateur qui instituait un centre, avant de creuser un sillon signalant la limite de la cité. Lorsque vous marchez dans la rue, lorsque vous vous promenez – et ceci est valable en ville comme à la campagne – faites de même, mentalement cela s'entend. Repérez les lieux, balisez-les, redonnez une signifiance à votre parcours, soyez sensible aux forces telluriques en action autour de vous. Les gangs des banlieues l'ont bien compris, qui tentent désespérément de revitaliser leurs quartiers déprimés en marquant ostensiblement leur territoire à coups de graffiti. Marquons symboliquement le nôtre, non pour en interdire l'accès, mais pour mieux l'habiter, pour que cette terre ne soit pas stérile, mais semblable au creuset fertile de l'alchimiste.

LE TEMPS PRÉSENT

Le rite d'orientation fait surgir le sacré : toutes les lignes de force convergent vers soi, comme elles sortent de soi. Participant aux puissances revitalisantes, l'homme donne dès lors un sens à tous ses gestes. Et il s'attire des alliés !

Car la Terre est habitée ! Et pas seulement par les humains... Chacun des éléments se trouve servi par des génies, qui figurent l'âme cachée des choses, des êtres féeriques aux facéties de lutins et aux possibles colères de Titans. Ce sont les djinns du folklore musulman, ou les neter des Égyptiens, au service de la déesse Isis, ou encore les elfes des Scandinaves et les innombrables esprits adorés par les Celtes, les esprits de Gaïa.

Je sais, à ce stade de mon discours, que je risque de passer encore pour un illuminé qui mélange tout. Comment, demanderont les ironisateurs, mêler l'idée d'un unique Créateur du Tout et l'antique fantasmagorie des feux follets de la lande bretonne ? Et moi je répondrai : que savons-nous de ce que Dieu a créé ? Il y a peu de temps encore, avions-nous découvert l'immensité du Cosmos ? Pourquoi n'y aurait-il pas, aussi, dans les airs, sous la terre, dans les ondes et dans le feu des entités vivantes ? Pourquoi les hommes, par leur pure imagination romanesque, auraient-ils « ressenti » cette animation de la Terre et des cieux, de la même manière au fil des temps, juste avec une formulation différente, si ces êtres qui animent les éléments n'existaient pas d'une certaine façon ? Pourquoi éprouverions-nous de telles émotions devant les merveilles de la Nature si elles n'étaient après tout qu'une montagne, un lac, une chute d'eau ou un volcan ? Vous savez très bien que cela « parle » (et d'ailleurs nous allons en reparler) à autre chose en nous : quelque chose qui nous dépasse, mais que nous pouvons « capter » si nous faisons taire notre rationalité. Est-ce revenir en arrière que de se référer aux anciennes légendes ? Parfois peut-être, mais pas toujours. Penser que le « progrès » doive rejeter ce savoir antique ne me semble plus être, désormais, que le lot des mécréants de salon. Les scientifiques s'avèrent beaucoup plus humbles, et ouverts à d'autres possibilités. Gageons qu'ils auront leur part dans le vrai progrès de l'ère du Verseau. On a condamné Galilée, brûlé les premières soigneuses – les premiers médecins, au fond – en les faisant passer pour des sorcières, on a brocardé les découvreurs avant de les encenser. Aujourd'hui, la télépathie comme les pouvoirs de l'homme sur les « choses qui sont derrière les choses » font l'objet de recherches scientifiques. On s'intéresse aux médecines du corps « énergétique », qui font encore souvent figure de douce fantaisie, mais qui finiront bien par gagner du terrain au même titre que l'acupuncture ancestrale.

Bien sûr, toute approche naissante de phénomènes mystérieux, en tout cas provisoirement inexplicables, amène son cortège de charlatans, lesquels apportent de l'eau au moulin des sceptiques. Seulement, au nom du Ciel, ne soyons pas systématiquement hostiles à toute révélation dite « paranormale », mais qui peut-être un jour se révélera être bel et bien dans la normalité.

Donc, en toute humilité mais sans craindre les quolibets, je crois que la Terre est habitée. Les ondins règnent dans les eaux, les gnomes courent sur le sol, les sylphes animent l'air, les salamandres se nourrissent du feu. Nos ancêtres étaient conscients de leur présence, qui leur réservaient une place dans leur maison ou leur faisaient des offrandes. Ce sont tous de bons génies, mais souvent facétieux. Et la première de leur facétie est de ne se montrer qu'à ceux qui croient en leur existence, à ceux qui ont su conserver leur capacité d'étonnement face au réel mouvant, à ceux qui sont pourvus d'imagination, cette « faculté quasi divine, nous dit Baudelaire, qui perçoit les rapports intimes et secrets des choses, les correspondances et les analogies »... N'avez-vous pas vous-même guetté ces êtres surnaturels dans les flammes d'une cheminée ou dans ces merveilleux nuages qui passent au loin ? Nous devons apprendre à apprivoiser ces lutins, et à nous distraire de leurs jeux incessants. Que de stress superflu nous nous épargnerions si nous savions reconnaître dans nos minuscules tracas quotidiens les simples fantaisies des gnomes ou des sylphes ! Un trousseau de clefs qui s'égare, un appareil électrique qui refuse de marcher puis se remet en route, une porte qui claque sans courant d'air, une ondée soudaine dans un ciel bleu, un obstacle invisible qui vous fait un croc-en-jambe. Au lieu de vous énerver, de pester contre « ces objets qui se liguent contre moi », prenez ces incidents pour des manifestations de nos lutins.

Elles ne sont d'ailleurs pas toujours innocentes. Efforcez-vous d'interpréter ces signes, car les génies, au service de l'au-delà, viennent aussi parfois nous aider. Ils sont loin bien sûr d'avoir la stature de nos grands Guides, mais ils peuvent nous envoyer des messages ou nous remettre sur les rails, parfois par des chemins détournés...

J'en ai des illustrations presque quotidiennes. Récemment, j'ai été contacté par une journaliste qui s'était d'emblée déclarée « éprise d'ésotérisme ». Ce genre de profession de foi a tendance à me mettre en alerte, et pas dans le bon sens : rien ne m'indispose autant qu'une spiritualité accrochée à la boutonnière. Quoi qu'il en soit, cette journaliste m'a demandé de lui prêter un livre de Jacob Boehme, le célèbre « cordonnier mystique » allemand du XVIIe siècle, qui a figuré une étape importante de mon évolution spirituelle. J'ai raconté en effet dans *Trajectoire* comment, à la suite d'un éblouissement mystique, j'ai vu surgir de nulle part un homme vêtu de noir, qui m'a remis entre les mains ce livre de Jacob Boehme, avant de disparaître...

Ne pouvant refuser cette lecture à une personne qui en exprimait le désir, j'ai donc préparé le livre, que j'ai posé sur un coin de mon bureau. La journaliste se présente, nous bavardons un peu, puis vient le moment où je dois lui donner l'ouvrage : il est introuvable. Je cherche partout, je prie la dame de bien vouloir m'excuser. Impossible de mettre la main sur mon bouquin. La journaliste termine son interview, je la raccompagne à la porte de mon bureau... Lorsque je reprends place à ma table de travail, le livre de Boehme est là, en évidence ! Les gnomes l'avaient-ils caché pour m'indiquer que cette personne n'était pas encore apte à recevoir cette œuvre ?

Amusez-vous ainsi à repérer les signes de ces génies qui deviendront peu à peu pour vous des complices, des compagnons de jeux, et vous rappelleront sans cesse que la matière n'est pas seulement synonyme d'inertie satanique : la Nature qui nous entoure, nos objets mêmes sont animés d'une vie propre, ils vibrent comme nous, possèdent une aura qui leur permet d'inter-réagir avec nous et de transfigurer la matérialité brute. Comme le poète ou l'alchimiste, apprenez avec eux à changer la boue en or...

Les gnomes, les ondins, les sylphes et les salamandres ne nous sont pas hostiles, nous l'avons dit. Pourtant ils n'ont pas prêté allégeance à l'homme mais à la Terre. Leur mission est moins de nous protéger que d'assurer la sauvegarde de la planète. De joyeux trublions, ils pourraient donc se transformer en monstres impitoyables si l'homme continuait – comme il le fait actuellement – à détériorer Gaïa. Par notre comportement destructeur et pollueur, nous allons les contraindre à des interventions sévères. Déjà, ils ne cessent de nous alerter : les gnomes provoquent des secousses sismiques de plus en plus fréquentes, les ondins multiplient les inondations comme les sécheresses, les salamandres réveillent les volcans et allument de gigantesques incendies de forêt, les sylphes font souffler les ouragans, ou cessent de soutenir les avions... Nous sommes entraînés semble-t-il dans une spirale de destruction : nous saccageons Gaïa, les génies se vengent, mais ils se créent ainsi un karma négatif que nous aurons à surmonter collectivement en plus du nôtre.

La Planète Bleue est aujourd'hui défigurée, méconnaissable. Elle a fait place à l'Hyle des gnostiques, cette terre dégradée qui figure un anti-Éden. En voulant jouer les apprentis sorciers, l'homme a mis en péril l'équilibre naturel. En toute logique, s'il ne se reprend pas, il subira le contrecoup de ses crimes. « *À tailler du bois à la place du Grand Charpentier, bien malin qui ne se fait mal* », dit Lao Tseu. Que n'avons-nous écouté la sagesse du grand Chinois ?

> « *Quiconque veut s'emparer du monde et s'en*
> *[servir*
> *Court à l'échec.*
> *Le monde est un vase sacré*
> *Qui ne supporte pas qu'on s'en empare et*
> *[qu'on s'en serve*
> *Qui s'en sert le détruit*
> *Qui s'en empare le perd.* »
> *Tao tê King* (chapitre 29)

Ces vers font écho aux paroles bibliques que je citais déjà dans *la Fin des Temps*. « *Le temps est venu de juger les morts et de détruire ceux qui détruisent la*

Terre », lit-on dans l'Apocalypse de Jean. Isaïe, lui, s'écriait (XXXIII, 1) : « *Malheur à toi, dévastateur ! Ne seras-tu pas dévasté ? Artisan de violences, n'essuieras-tu pas la violence ? Lorsque tu auras achevé tes ruines, tu seras ruiné.* »

Il est inutile de dresser une nouvelle fois le tableau des dépradations que notre folie moderne a fait subir à Gaïa. Nous en connaissons l'effroyable litanie : forêts rasées, fleuves moribonds, mers dépotoirs, contamination chimique des sols, ressources naturelles à la limite de l'épuisement, péril nucléaire, atmosphère polluée... Pour plus de détails, on se reportera à mes deux précédents livres, ou à la lecture des journaux, qui font état chaque jour de cette agonie encore inimaginable il y a à peine un siècle, pour ceux qui n'avaient pas lu les prophéties anciennes...

J'aimerais pourtant revenir sur un sujet qui a tendance à devenir tabou, peut-être parce qu'il s'agit à mon sens de la source de tous ces maux : la démographie galopante. Songez qu'il nous a fallu attendre le milieu du XIXe siècle pour atteindre le premier milliard d'individus sur Terre. Actuellement, une simple décennie suffit à accroître la population de ce même milliard d'âmes ! Nous sommes quelque six milliards aujourd'hui, et nous serons quatre milliards de plus dans une ou deux générations. Les scientifiques s'accordent pour admettre que ce serait là une limite au-delà de laquelle la planète ne serait plus viable. Le *Maha-bharata*, cette épopée sanskrite qui date de plusieurs siècles avant Jésus-Christ, le disait déjà (douzième Chant, 248, 13-17) : «*L'anéantissement de l'espèce humaine aura lieu lorsque le Créateur ne trouvera plus d'autres remèdes qu'une destruction totale du monde pour mettre fin à la multiplication désastreuse et non prévue des êtres vivants.*»

Il ne faut pas chercher ailleurs que dans l'accroissement colossal de la population mondiale la cause de toutes les destructions : parce qu'il faut toujours plus bâtir, défricher, consommer, et se battre pour un pouce de terrain... Depuis la fin de la Seconde Guerre mondiale, on a construit du béton à tire-larigot, des tours monstrueuses ont surgi comme des champignons : monstrueuses car si l'architecture verticale est adaptée au travail, elle constitue un désastre pour la qualité de la vie. Malheureusement, l'autre solution proposée ces temps-ci n'est pas meilleure à long terme. Elle consiste en effet à construire des lotissements de plus en plus tentaculaires, qui gagnent à grande vitesse sur la campagne. Option plus humaine, cet urbanisme horizontal n'en signifie pas moins la disparition progressive de toute la terre arable. La planète recouverte de maisons individuelles, l'ère de la civilisation pavillonnaire ! Le mal sera complet : plus d'animaux sauvages, plus de forêts, plus d'agriculture...

Comment ne pas voir que la seule façon de résoudre le problème pour l'avenir consiste à enrayer un accroissement globalement suicidaire des naissances ? Je sais, je l'ai déjà dit : c'est un sujet tabou. Parce que certains vivent cette limitation des naissances comme une atteinte à la liberté individuelle, et que d'autres y voient une désobéissance au traditionnel « croissez et multipliez ». Et pourtant... Quand d'aucuns prennent des mines horrifiées en apprenant que le gouvernement chinois se montre draconien sur le nombre d'enfants à ne pas dépasser, ils oublient qu'il s'agit pour ce pays d'éviter la famine généralisée. Quant aux injonctions – pas si anciennes – des hommes politiques français : « Faites des enfants, faites des enfants, sinon qui va payer votre retraite ? », on s'aperçoit, à l'ère du village mondial, qu'il ne faut pas trop y obéir, d'autant qu'il n'y aura bientôt plus de retraites...

Le péril d'une surpopulation à l'échelle mondiale commence à pénétrer les esprits les plus ouverts. Mais nombreux sont ceux qui en demeurent encore inconscients, car l'information circule très mal dans certaines civilisations et cultures, où le sectarisme des religions reste inflexible. Et je ne parle pas seulement des pays musulmans et de ceux du tiers-monde ! Nous avons à Rome un pape qui refuse avec obstination tout moyen de contraception, et pour qui « proliférez, proliférez » reste le credo de rigueur. Mais on finit toujours par payer ses erreurs : « *Les insensés, les fous se conduisent vis-à-vis d'eux-mêmes comme des ennemis, faisant de mauvaises actions dont le fruit est amer* », lit-on dans le *Dhammapada*, l'un des principaux textes bouddhistes.

Malgré nos œillères, nous savons pourtant que nous ne pouvons pas continuer au rythme actuel. Gaïa est un organisme vivant – certains scientifiques eux-mêmes le reconnaissent – qui va devoir réagir pour assurer sa survie. Elle possède un grand nombre de flèches dans son carquois pour frapper l'homme si celui-ci ne change pas d'attitude. Pour se défendre, elle peut inventer de nouvelles maladies virales épouvantables, liées au sexe et à la reproduction. Tous les moyens seront bons à la planète pour limiter la croissance d'une humanité dévastatrice. Jusqu'aux plus radicaux, comme une troisième guerre mondiale ou la collision avec une comète...

Faut-il dès lors céder au catastrophisme et se résoudre à la fatalité ? Attendre d'être décimés pour renaître ? Ou bien admettre, en ce qui concerne la surpopulation en premier lieu, qu'une réduction volontaire des naissances représente peut-être une entorse à notre liberté individuelle... mais une entorse au service du bien général.

Il faudra tôt ou tard que nous réussissions à faire la distinction entre individu et être humain. L'individu n'est qu'une petite entité conditionnée, qui tourne autour de son moi égoïste, protégée par ses petits dieux et ses petites traditions. L'être humain, lui, la créature divine, se sent responsable du monde entier, de son bien-être comme de sa confusion. « *Tout homme doit se dire : c'est pour moi que le monde a été créé et j'en assume la responsabilité* », affirme un proverbe de la sagesse juive (*Sanhédrin*, 37 b).

On aura beau faire, on n'y échappera pas : cette prise de conscience est la condition *sine qua non* de l'émergence d'une ère nouvelle. Celle-ci ne se produira, dit le sage indien Krishnamurti, que « *si chacun de nous reconnaît le fait central que nous, individus, en tant qu'êtres humains, en quelque partie du monde que nous vivions ou à quelque culture que nous appartenions, sommes totalement responsables de l'état général du monde* ». Cela signifie que chacun de nous, à cause de ses préjugés et de son agressivité égocentrique, est responsable de chaque conflit. De plus en plus, les gens s'en persuadent intellectuellement, mais pour espérer un véritable changement, il faudrait l'éprouver.

Accepter cette responsabilité ne signifie pas, comme pourraient le redouter certains, se charger d'un lourd fardeau de culpabilité. Il s'agit au contraire d'une démarche entièrement positive : assumer une responsabilité, c'est aussi se redonner les moyens d'agir. Je n'ai pas la prétention d'apporter le remède aux maux de la planète mais d'insister sur le fait que chacun de nous, dans son comportement individuel, peut et doit contribuer à la réconciliation nécessaire entre l'homme et Gaïa. Quand ils ne sont pas incompétents, nos hommes politiques et nos « décideurs » sont débordés : nous ne pouvons nous contenter d'attendre d'eux la solution à nos problèmes. Notre comportement est notre meilleur droit de vote, et notre moyen de salut.

La première chose à faire est de mettre un frein à notre cupidité. Les habitants des pays riches ne doivent pas écouter les appels à la consommation que l'on entend ici et là : loin d'être une panacée, la croissance à tout prix ne fait que nous entraîner plus vite dans le gouffre. Il nous faut modifier à la baisse nos habitudes de gaspillage, réduire notre production pléthorique, apprendre la frugalité. Il ne s'agit pas de se « serrer la ceinture » mais de se rendre compte que nous sommes dans une logique d'excès. Aujourd'hui, on estime qu'un petit cinquième de l'humanité dispose des quatre cinquièmes des richesses. En termes de consommation d'énergie commerciale, un Américain du Nord « vaut » 140 Bangladeshis, 280 habitants du Tchad ou de Haïti... Leurs besoins ne sont pas les mêmes, dira-t-on : cela donne-t-il le droit aux pays dits développés de dilapider le patrimoine mondial ? Pardon d'enfoncer une porte ouverte, mais un Haïtien ou un Tchadien « vaut » exactement autant qu'un Européen, ni plus ni moins. Et si nous voulons vraiment éviter la catastrophe, il va falloir fournir un effort de solidarité et de partage. L'eau courante est devenue pour nous un fait acquis, une évidence dont nous usons et abusons, alors qu'une personne sur trois dans le monde souffre aujourd'hui de la sécheresse la plus cruelle. Il en est de même de nos ressources alimentaires, et de l'énergie. Tôt ou tard, les gouvernements devront se résoudre à accroître de façon dramatique les taxes sur l'eau et sur les ressources naturelles, qui se raréfient. Pourquoi ne pas devancer le mouvement et circonscrire, chez soi comme dans son entreprise, nos tendances au gaspillage ? Savez-vous, à cet égard, que les pays producteurs de viande utilisent, pour nourrir leurs animaux, plus de céréales que n'en consomme la totalité des habitants du tiers-monde ? Quand on sait à quel point cette viande est nocive pour notre équilibre spirituel, on se dit qu'il faudrait peut-être changer ses menus...

C'est par la multiplication d'actes individuels que nous pourrons réduire les trois déséquilibres qui minent la planète : entre le Nord et le Sud, entre riches et pauvres dans les sociétés développées, entre l'homme et la Nature.

Pour préserver la Terre comme pour nettoyer notre demeure intérieure, il va falloir retrouver l'importance du geste juste, celui qui correspond à nos besoins et ne trouble pas l'ordre des choses. « *Que le sage vive en son village comme l'abeille recueille le nectar sans avoir abîmé la fleur dans sa couleur et son parfum* », dit le *Dhammapada*.

Quant à penser que « cela ne sert à rien », qu'une résolution individuelle ne saurait influencer l'avenir du monde, c'est un raisonnement qui ne tient pas. Les grandes révolutions ont toujours commencé par des initiatives personnelles. De la même façon, je ne suis peut-être qu'une goutte d'eau dans l'océan, mais si cette goutte est pure, elle peut purifier autour d'elle. La recherche spirituelle n'a rien d'un enfermement égotique : elle implique non seulement de se sauver soi-même, mais aussi d'entraîner les autres dans son élévation. Le défi du troisième millénaire est énorme : il s'agit d'entreprendre une réintégration universelle dans les lois du Cosmos.

Aujourd'hui, la montée des vibrations, le flux des énergies invisibles nous invitent à ce changement d'attitude. Nous ressentons de plus en plus nettement le fait que, malgré les crimes des hommes, la Terre est en train d'essayer de se hisser à un plan de conscience supérieur, plus aigu, et qu'il nous faudra obligatoirement suivre le mouvement. Ce changement vibratoire est visible dans les règnes minéral, végétal et animal. Je le constate chaque jour : les animaux sont joyeux, les oiseaux chantent comme jamais. Les dauphins, les baleines s'approchent des humains... qui ne trouvent rien de mieux que de les massacrer. Dans les forêts où je me promène souvent, j'ai pu constater que les biches elles aussi s'approchaient... à condition que nous ne soyons pas enfermés dans des vibrations basses. Si vous êtes fumeur ou buveur excessif – c'est-à-dire encore prisonniers d'une logique d'autodestruction – elles vous éviteront... Mais les animaux éprouvent actuellement cette joie colossale de savoir qu'un nouvel état de conscience se prépare dans une nouvelle harmonie. Pour y participer, l'homme doit se réconcilier avec la Nature. Il ne ferait en cela que suivre le mouvement général du Cantique des Cantiques : d'abord l'éblouissement, puis la crise, et finalement – souhaitons-le – les retrouvailles. Dans le cas contraire, souvenons-nous que la Terre n'appartient pas à l'homme, mais l'homme à la Terre. Et si nous tenons au rapport de forces, sachons que nous n'avons aucune chance de gagner...

Vous me direz sans doute que la responsabilité collective concernant la Terre comme le sentiment d'appartenance au Cosmos sont bien difficiles à appréhender quand nous nous débattons quotidiennement dans l'espace restreint stigmatisé par la formule « métro-boulot-dodo ». Pourtant Lao Tseu a raison quand il nous recommande : « *Ne trouvez pas trop étroite votre demeure natale, ne vous dégoûtez pas de la condition dans laquelle vous êtes né. On ne se dégoûte pas à condition de ne pas vouloir se dégoûter* » (*Tao tê King*, chapitre 72). Courir au bout du monde ne nous servira guère, par ailleurs, à raviver notre émerveillement et à mieux nous situer par rapport au Tout. Contentons-nous, comme dit Plotin, de fuir dans « notre chère patrie » : « *Notre patrie est le lieu dont nous venons, et notre Père est là-bas. Pour ce voyage, il ne faut pas préparer un attelage, ni quelque navire, mais il faut cesser de regarder et, fermant les yeux, échanger cette manière de voir pour une autre, et réveiller cette faculté que tout le monde possède, mais dont peu font usage.* »

Cette faculté, c'est encore la méditation. « *Sans sortir par la porte, on peut connaître tout le monde ; sans regarder par la fenêtre, on peut se rendre compte des voies du ciel* », confirme le *Tao tê King* au chapitre 47. Reprenez donc la méditation initiale destinée à calmer le mental, ce mental qui n'a de cesse de nous éparpiller et de nous masquer l'unité de l'univers. En position de méditant, descendez en vous, explorez votre moi épidermique, avec les limites du corps. Faites le tour du propriétaire. Puis visualisez votre corps, votre moi en train de devenir de plus en plus minuscule à l'intérieur de vous-même. La cage thoracique devient alors immense, comme une énorme voûte dans laquelle descendent les énergies. Vous vous élargissez aux dimensions du Cosmos. Mais maintenant que vous possédez la pratique, ce n'est plus seulement pour vous une « image » comme lorsque vous cherchiez seulement à calmer votre esprit, c'est une sensation vraie. Vous êtes en osmose avec le Tout, le « Tout » de la Création, pas encore Dieu lui-même, qui est l'Un, et beaucoup plus difficilement atteignable, mais ce n'est déjà pas si mal !

Pour vous aider à parvenir à cet état, vous pouvez recourir à la technique de la prière en inspiration: récitez cette prière mentalement par fragments *dans l'inspir*, en vous relâchant totalement dans l'expir. Vous êtes en train d'imiter la loi fondamentale du Cosmos, c'est-à-dire l'alternance entre la concentration et la dilatation.

Quand vous serez rompu à cet exercice, vous approcherez de l'émerveillement : non pas encore l'extase que procure l'illumination divine, mais un émerveillement simple de l'enfance qui vous ouvre à la signification profonde des choses, à la dimension féerique, miraculeuse du monde. Vous ferez la découverte – ou la redécouverte – de l'unité de la Nature, postulat des hermétistes et des alchimistes, aujourd'hui largement confirmé par la science : un est dans tout, tout est dans un. « *Toutes choses viennent d'une même semence, elles ont toutes été à l'origine enfantées par la même Mère* », écrit Basile Valentin, l'une des figures de proue de l'Alchimie.

Le mode de pensée occidental nous a fait perdre de vue cette notion que le monde est un. Et si nous avons pu ainsi détruire notre environnement dans l'inconscience, c'est en premier lieu parce nous avons oublié – ou feint d'oublier – que nous lui étions consubstantiels. Un sage soufi essayant d'expliquer en quoi consiste sa religion disait que « *le soufi ne considère pas son propre extérieur et intérieur, mais regarde tout comme appartenant à Dieu* ». Tant il est vrai que cet émerveillement nous laisse déjà deviner ce que l'on peut appeler la loi de causalité, ou le grand Architecte de l'univers, la Divinité, l'Un...

Quand vous aurez ainsi, à l'intérieur de vous, approché l'idée de l'appartenance à toute la Création, vous ne regarderez plus la Nature de la même façon. Vous ne commenterez plus, un peu naïvement, les paysages comme des touristes : vous « nommerez » les choses. Dans la Genèse, Dieu a permis à l'homme de nommer les choses. Qu'est-ce que cela signifie ? Cela signifie les connaître, approcher leur nature secrète, prendre conscience que toute chose créée est un don de Dieu, une œuvre de miséricorde. La Divinité est présente dans le monde qui nous entoure, de telle sorte que nous pouvons, à travers lui, atteindre la joie. Comme l'écrivait magnifiquement le grand poète persan Rumi :

> « *Tous les atomes qui peuplent l'air et le désert*
> *Savent bien qu'ils sont épris comme nous*
> *Et que chaque atome heureux ou malheureux*
> *Est étourdi par le soleil de l'Âme universelle.* »

J'ai eu personnellement la chance d'avoir une grand-mère qui a su développer en moi le sens du « voyeurisme ». Passionnée de magie, elle me répétait sans cesse: «Regarde, observe... L'Esprit de

SE SITUER PAR RAPPORT AU COSMOS

Dieu est derrière chaque objet, chaque objet a une raison d'être, une signification, chaque objet est symbole et reflet de l'univers... » « Tout est lié », me disait-elle encore. Cette contemplation attentive mène à la prise de conscience que ce monde d'apparence, cette façade floue, cache et révèle à la fois l'autre réalité. Comme Nerval, nous devons faire l'effort de franchir, en « frémissant, les portes d'ivoire ou de corne qui nous séparent de l'invisible ».

Nous sommes dans une culture qui n'a jamais autant fait la part belle au visuel. Mais un visuel médiatique, télévisé, publicitaire, qui flatte avant tout nos vibrations basses, par des images « sensationnelles ». Or l'émerveillement dont je parle passe précisément par l'expérience contraire : de l'extra-ordinaire vers le plus ordinaire. Cet émerveillement devient un événement quotidien, vécu en permanence, sans cérémonie ni sésame secret. C'est ce que le bouddhisme zen exprime par la formule suivante : « *Au début les montagnes sont des montagnes et les rivières des rivières. Puis les montagnes ne sont plus des montagnes, ni les rivières des rivières.* (Traduisez que l'on intellectualise et romance.) *Mais finalement les montagnes sont à nouveau des montagnes et les rivières sont à nouveau des rivières.* » Ce que dit en d'autres termes, peut-être plus clairs pour nous, le moine chrétien pour lequel « *le contemplatif n'est pas celui qui découvre des secrets ignorés de tous, mais celui qui s'extasie devant ce que tout le monde sait* ».

En somme, cela signifie que l'initié va pouvoir se « contenter » de ce que l'univers lui offre, c'est-à-dire se trouver comblé par ce que la Nature lui donne gratuitement. Se situer par rapport au Cosmos, à toute la Création, est aussi une manière de vivre heureux. À condition bien sûr de savoir contempler, « profiter », et de se sortir le plus souvent possible de l'enfer agité de nos ambitions à court terme.

Retrouver l'harmonie avec le Cosmos, en effet, implique aussi respecter les cycles qui le régissent et l'animent. Le premier de ces cycles, c'est celui qui a présidé à la Création du monde : l'activité, puis le repos. L'inspiration, puis l'expiration, le flux puis le reflux...

Ainsi la Genèse nous incite à sanctifier le septième jour de la semaine à l'imitation du Seigneur, « *car Il a chômé après son ouvrage de création* ». Signe de l'alliance entre Dieu et l'homme, ce « jour du Seigneur », sabbat pour les juifs, nous permet de « reprendre haleine » – c'est-à-dire de retrouver le Souffle de vie. Il nous permet de nettoyer nos neurones fatigués, de purifier notre organisme, et aussi de nous retrouver en nous-mêmes. Le week-end consacré aux dossiers en retard, à la grande bouffe ou aux courses poursuites sur les autoroutes (à moins que ce ne soient les embouteillages) n'est pas le plus fertile moyen de se ressourcer. L'un des tout premiers préceptes fixés par l'Exode pour le jour du Seigneur n'est-il pas : « *Restez chacun là où vous êtes, que personne ne sorte de chez soi le septième jour* » ? Il ne s'agit pas – en tout cas pas au sens strict – de se claquemurer dans sa maison, mais bien de réinvestir son espace intérieur et de réorienter ses activités dans le monde.

Vivre au rythme du Cosmos devrait nous engager aussi à suivre le cycle des saisons. Cela se révèle hélas de plus en plus difficile. L'électricité nous a affranchis des contraintes du jour et de la nuit, et le passage d'une civilisation rurale à une civilisation urbaine a considérablement diminué le respect qu'avaient nos ancêtres de l'alternance des saisons. Et je sais bien qu'on ne peut contraindre les hommes et femmes modernes à vivre à l'heure des poules. Essayez cependant de moins veiller en hiver, faites, comme la Nature, des nuits plus longues à la saison froide, et vous en tirerez d'immenses bienfaits. L'été, en revanche, levez-vous avec le soleil et méditez à l'aube : votre énergie en sera décuplée.

Et, puisqu'il semble qu'on remette au goût du jour la fête, pourquoi ne pas retrouver les célébrations traditionnelles qui saluent le retour de chaque saison ? Fête des Azymes au printemps, fête de la moisson ou des Semaines en été, fête de la récolte ou des Huttes en automne, toutes favorisent la rencontre des rythmes cosmique, terrestre et humain...

Car la fête participe aussi de la mise en harmonie avec le Cosmos ! En dehors des coutumes agrestes, toutes les religions possèdent leurs fêtes propres, liées généralement aux événements de leur Histoire sainte. Le mot fête dérive du *festum* latin qui implique une solennité. C'est une journée ou une période divine, que nous consacrons à Dieu. Le calendrier apparaît alors comme une respiration :

l'homme rongé par l'angoisse ou le surmenage va pouvoir se régénérer.

Malheureusement, beaucoup de ces fêtes religieuses se limitent aujourd'hui à de simples commémorations, alors qu'elles devraient être une occasion de recréer les énergies des origines. Prendre part à la fête, c'est entrer de nouveau de plain-pied dans une vaste danse cosmique, c'est éviter la sclérose de la routine et retrouver notre aspiration à l'élévation.

La fête, c'est une renaissance, symbolisée un peu partout par cette coutume qui consiste à enfiler des vêtements neufs, ou bien à inverser les rôles de la vie quotidienne : le fou devient sage, le riche devient pauvre, et vice versa. On jette aux orties les vieilles habitudes, on tente de regarder le monde avec un œil différent, pour tâcher d'inventer un nouveau mode de vie.

Alors ne boudez pas votre plaisir. Profitez de la fête pour hâter le pourrissement du « vieil homme ». Posez vos bagages, videz vos poubelles, trempez-vous dans cette fontaine de jouvence qui va vous permettre d'affronter avec plus de dynamisme vos lendemains.

Sur le plan spirituel autant que psychologique, la fête est l'occasion de se ressourcer. Son ludisme permet l'expulsion de nos démons intérieurs, son exubérance est une sorte de catharsis grâce à laquelle nous pourrons – paradoxalement – éviter de sombrer dans l'excès au quotidien, car elle nous réajuste par rapport à la vibration cosmique. La fête, en effet, n'est pas nécessairement synonyme d'abandon à une sorte de paganisme barbare, ni de beuveries suivies de bagarres sur les stades : elle doit être une participation à la joie de la Création, et un partage.

Tant il est vrai que la recherche spirituelle n'implique pas un sérieux empesé mais amène au contraire peu à peu une alacrité communicative, dont les premiers bénéficiaires seront les autres. Ils en ont le plus grand besoin, et nous aussi en retour. Nous sommes presque tous là, à nous regarder en chiens de faïence, oubliant que nous avons été créés, comme le Cosmos, par une volonté aimante. Et que si l'émerveillement retrouvé face à la Création peut nous aider à vivre et survivre sur notre planète, nous avons encore plus à gagner en sachant nous servir de l'Amour.

CHAPITRE SIXIÈME

SE SERVIR DE L'AMOUR

C'est l'amour que je veux et non le sacrifice.

Jésus-Christ

Se servir de l'Amour ? L'expression va en choquer plus d'un, je suppose. Comment donc ? Un sentiment qui signifie pour beaucoup l'attachement, voire la dépendance, ou même l'oubli de soi (je me suis « sacrifié » pour lui, elle, mes enfants, ma famille, mes amis), voilà qu'on l'utiliserait ? Mais oui ! L'Amour bien conçu représente une arme formidable, pour notre équilibre, notre force, notre réussite, notre bonheur ici-bas et notre chemin spirituel. Mais vous remarquerez que j'ai parlé de l'Amour « bien conçu », et que j'y ai mis une majuscule. Cœurs sensibles, s'abstenir : cet Amour-là ne flattera en rien nos mièvreries affectives, mais nous comblera de bien plus belle façon, et dans tous les domaines.

C'est un lieu commun de rappeler que l'amour manque de mots, surtout en français. On aime pêle-mêle sa mère, la mer, son ami, son mari, les carottes. Et quand on prétend parler, humainement, de l'amour « véritable », on s'égare encore dans un labyrinthe de sentiers épineux. Penchant sensuel, passion amoureuse, amour conjugal, affection filiale, parentale, élan fraternel, amitié, charité : tout ceci relève de l'amour, en effet. Mais savons-nous aimer, et nous en satisfaire ?

N'attendez pas de moi, cependant, que je commence à jeter l'anathème sur le désir, par exemple. Il est un don divin, comme tous les plaisirs des sens que nous procure la Nature. Lorsque nous tombons amoureux, un enthousiasme fantastique, une montée de sève nous soulèvent. Ils sont plus qu'une pulsion de vie : l'attraction qu'éprouvent deux êtres l'un pour l'autre permet d'intenses moments de joie et de communion charnelle, où l'on touche au souvenir de l'androgynie primitive.

Seulement le désir se révèle souvent éphémère et l'amour purement sexuel nous laisse un sentiment d'insuffisance, d'incomplétude. Bien sûr, il constitue un pan de notre être qu'il convient d'explorer. Au risque de glisser dans la débauche... On sait que beaucoup de saints sont passés par là, jusqu'au jour où ils se sont rendu compte que ces excès laissaient un goût de cendres dans la bouche, et que le désir charnel était peut-être là, aussi, pour nous rappeler l'existence d'un besoin supérieur, surhumain.

Nous n'en sommes pas à ce stade : encore une fois, nous ne sommes pas des saints. Mais nous avons tous appris à faire la différence entre l'amour « amoureux » et ce sentiment plus profond que nous portons aux êtres qui nous sont particulièrement chers. Aimer un homme ou une femme d'amour « vrai », dans l'acception humaine de l'adjectif, suppose d'en être amoureux, certes, mais davantage encore. Et dans les autres formes d'amour où le sexe n'a pas cours – amour parental, filial, amical, amour d'autrui –, nous avons tendance à croire que nous parvenons à une relation « pure », et surtout désintéressée.

Le désir veut posséder, l'amour « donne » : c'est du moins ce que nous prétendons. Mais nous savons bien que dans la pratique, si j'ose dire, cette définition ne se vérifie pas toujours. Inconsciemment, impulsivement, nous avons envie de faire des êtres chéris ce que nous attendons qu'ils soient. Nous critiquons nos parents parce qu'ils ne se comportent pas selon nos désirs. Nous attendons de notre conjoint qu'il se révèle un compagnon fidèle à notre « idéal », lui refusant parfois le droit à l'autonomie, ou le servant comme des esclaves afin de mieux nous rendre indispensables, ce qui revient au même. Beaucoup de pères et mères voient en leur progéniture une « prolongation de leur propre existence », oubliant que, si l'on croit à la réincarnation, demain nous aurons une autre vie, une autre famille, une autre descendance ponctuelle dans le temps. En tout cas bien des géniteurs se désolent de voir leurs enfants ne pas « reprendre » leurs affaires, ne pas exercer le métier dont ils auraient rêvé pour eux, ou leur « faire honte » s'ils déméritent à leurs yeux. Nous claquons parfois bruyamment la porte de l'amitié en disant : « Il m'a délaissé, je ne peux accepter son attitude, il ne m'a pas aidé quand j'avais besoin de lui. » Il n'est jusqu'à nos camarades, collègues, patrons, auxquels nous avons lié une partie de nos jours, parfois passionnément, qui ne nous déçoivent, et dont il nous arrive étourdiment de dire : « Après tout ce que j'ai fait pour eux ! »... avant d'aller sangloter dans un coin, blessés de tant d'ingratitude.

LE TEMPS PRÉSENT

En somme, si nous faisons à peu près notre lot – fût-ce provisoirement – de l'Éros païen qui relève non seulement de la sensualité mais d'un élan nous permettant de nous surpasser, nous n'avons guère de talent pour l'Agapé, le moi-pour-l'autre, sans exigence de « remboursement ». C'est humain, me direz-vous, nous ne sommes pas parfaits, ni si généreux. L'ennui, c'est que lorsque nous sommes à la place de l'aimé, nous exigerions volontiers d'être chéris de cette façon-là : avec respect pour notre liberté, indulgence, munificence, fidélité, gratuité totale !

Comment s'étonner, dans une telle contradiction, que le poète s'exclame : « Il n'y a pas d'amour heureux » ?

Et pourtant, s'il n'y a pas d'amour heureux, c'est notre faute ! C'est que nous attendons de l'amour humain un absolu que Dieu seul peut nous procurer. Voilà la grande erreur ! Et qu'on ne se trompe pas sur mes intentions : je ne vais pas vous conseiller de vous enfermer dans l'adoration divine pour vous consoler des insuffisances humaines, mais simplement de vous « servir » de cet Amour divin pour combler vos famines affectives, afin de mieux aimer et mieux être aimé ici-bas, sans souffrir indûment ni faire souffrir les autres.

Ceci dans un premier temps, car nous verrons que se servir de l'Amour comprend bien d'autres avantages, sur les sentiers de la Terre comme sur les routes du Ciel.

SE SERVIR DE L'AMOUR

Qu'espérons-nous de l'amour terrestre, fous que nous sommes ? La compréhension totale et le partage. Autant dire l'impossible. Les autres « ne comprennent pas » : nos efforts pour leur être agréables, les blessures qu'ils nous infligent, parfois à leur insu, nos vœux secrets dont nous estimons qu'ils devraient les deviner, nos angoisses personnelles (comme s'ils n'avaient pas les leurs), nos espoirs et nos désespoirs. Partager ? Ils sont tous égoïstes (et nous, donc !), pensant à leurs propres soucis comme nous privilégions les nôtres, manquant de temps et, surtout, se révélant incapables de prendre des décisions à notre place ! On a suffisamment écrit, chanté, pleuré l'isolement mélodramatique des amants, parents, adolescents, patrons, puissants, chefs d'État, artistes ovationnés se retrouvant perdus quand s'éteignent les feux de la rampe pour que je n'en fasse pas moi-même des pages et des pages.

Et pourtant, sur ces chemins de haute solitude, une Présence demeure, qui a tout l'amour du monde à notre disposition. Un amour sans partage et dont nous acceptons néanmoins le partage, nous les jaloux endémiques ! Parce que nous savons qu'il est indivisible, destiné à tous et entier pour chacun. Évidemment, je parle de l'Amour de Dieu.

Alors, en attendant que cet Amour divin nous donne le mode d'emploi de nos sentiments terrestres, réfugions-nous en lui, nous y trouverons une source de réconfort indicible.

LE TEMPS PRÉSENT

Est-il utile de préciser qu'il n'est pas question pour autant de se couper du monde à l'image de certains misanthropes qui pensent ainsi se distinguer de la « masse » et faire partie des élus ? Il suffit de rechercher – sinon encore la béatitude – au moins ce bonheur supraterrestre qui apaisera nos besoins d'absolu.

Ce bonheur, vous le trouverez dans la méditation-prière du cœur, la plus gratifiante de toutes.

La méditation du cœur commence par une attente. Il faut se placer dans une expectative adoratrice, au cours de laquelle tout peut se passer. Le mental est calmé, le remugle intérieur a été balayé, on ne demande rien, il ne reste qu'une prière pure, une vibration « en creux », qui offre la formidable empreinte de nos manques, de nos faiblesses aussi, bref de ce vide colossal créé par notre besoin d'amour. Une loi naturelle inéluctable veut que toute vibration attire une réponse proportionnelle à son intensité. Si vraiment, en pleine humilité, nous restons dans cette intense expectative, la radiation de l'Amour divin va descendre vers nous. La communication s'établit : le cinquième chakra, situé entre les seins, est activé. Nous sentons une chaleur naître dans la région du cœur. Non pas une brûlure qui nous consumerait, mais un doux échauffement : nous nous faisons littéralement « chaud au cœur ».

Une joie immense se développe alors, une joie qui nous fait découvrir soudain qu'en quelque lieu que nous nous trouvions, dans quelque malheur ou dans le plus terrifiant désert, nous ne sommes jamais seuls. Les sphères supérieures nous répondent, et nous sommes submergés. C'est cette vibration inouïe qui, maintenue, nous conduit jusqu'au ravissement. La méditation du cœur nous transforme en « oints ». Nous éprouvons la sensation d'une nouvelle naissance, comme s'il s'était produit une refonte alchimique du moi : notre existence acquiert un autre sens. Nous nous dissolvons dans une tendresse colossale, nous l'accueillons dans les moindres recoins de notre âme, et nous nous en trouvons comblés.

Cette vibration est une vibration féminine, celle de Dieu dans sa Trinité première, dont la Vierge n'était pas exclue. Elle est d'une douceur ineffable et nous plonge dans un état de délicieux abandon, cet abandon auquel nous osons si rarement nous livrer entre humains, même et surtout dans les relations affectives, où règne encore le jeu de la compétition, du charme obligatoire, voire de la possessivité. Cet Amour-là balaie à jamais notre peur de ne pas être aimés. Quelle rassurance ! Nous nous savons enfin acceptés tels que nous sommes. Dieu ne nous aime pas parce que nous avons plus ou moins mérité : Il nous aime, tout court, magnifiquement.

N'oublions pas de Lui en rendre grâces ! Car enfin, nous avons quémandé, supplié, obtenu des bienfaits appréciables en bénéficiant de Son aide, puis connu la Joie. Cela mérite un merci ! Une reconnaissance éblouie pour cet Amour baume céleste, qui devrait nous donner une idée de la gratuité obligatoire de notre amour humain.

LE TEMPS PRÉSENT

Cette leçon, cet exemple nous permettront-ils de mieux aimer les autres, sans rien demander – au moins au nom de ce sentiment – en échange ? Il est vrai qu'à l'issue de ce genre d'expérience, une immense compassion pour l'humanité s'empare de nous : les autres ne sont-ils pas à notre image, solitaires, démunis, quémandant une tendresse régénératrice ? Nous ressentons le besoin de répandre autour de nous cette allégresse qui soudain déborde. À nous de ne pas regimber encore, en nous imaginant que cette tendre générosité risque de nous faire perdre nos atouts, dans la « jungle » de nos chicanes professionnelles ou familiales.

Nous vivons dans un univers de dureté impitoyable. Là, je suis sûr que tous les lecteurs seront d'accord. Nous devons, dans notre parcours professionnel, parental, conjugal, filial, faire parfois preuve d'autorité, imposer nos vues, démasquer les tricheurs, débusquer les pièges, « gagner ». Et beaucoup d'entre vous pensent bien sûr qu'en pareille circonstance, même si la méditation-ravissement leur a fait prendre conscience de l'humble similitude de tous les êtres humains, ce n'est vraiment pas le moment de se montrer sentimental.

Mais qui parle ici de sentimentalité ? Dieu est-Il sentimental ? Non, Il est bien-veillant, c'est-à-dire qu'Il nous considère avec indulgence et qu'Il ne nous veut aucun mal. Si nous L'imitons vis-à-vis de nos congénères, nous puiserons là des ressources étonnantes : dans notre travail, notre famille, nos amitiés, nos rapports aux autres en général. Mesurez l'énorme déperdition de force que représentent vos a priori négatifs contre vos rivaux, adversaires, contradicteurs en tout genre. Vous voilà d'emblée irrités contre eux parce qu'ils ne sont pas de votre avis ou contrarient vos projets. Si vous les considérez comme des créatures de Dieu, d'autres vous-mêmes, en somme, dotés d'une liberté analogue à celle que Dieu vous a offerte, y compris celle de ne pas céder à tous vos désirs, vous allez gagner un temps précieux : celui de la révolte égocentrique, capricieuse, infantile qui consiste à trépigner moralement sans fournir d'arguments valables ni affûter ses armes, en cas de bagarre. Ajoutez que celui qui voit en son interlocuteur un autre lui-même sera beaucoup plus apte à deviner les objectifs réels et les motivations profondes de son « alter ego », voire à déjouer ses manigances. Se « servir » de l'Amour, de cette bienveillance dont Dieu nous fournit l'exemple, c'est faire table rase de tous les « préjugés » qui nous empêchent d'y voir clair. Ce n'est pas se transformer en victime docile, c'est maîtriser dix fois mieux les conflits, et savoir se défendre comme on devrait le faire sur un terrain de sport : dans un combat loyal, où l'on connaît bien l'adversaire mais où l'on ne le hait pas, et où on ne le juge pas.

Car « tu ne jugeras pas », lit-on dans les saintes Écritures. Laissons ce lourd fardeau à la Divinité. Une personne que nous décrétons « détestable » n'est au pire qu'une personne dans l'erreur. Demandons à Dieu de la remettre sur le bon chemin. Cherche-t-elle à nous nuire ? Ne dépensons pas des tonnes d'adrénaline en vitupérant alentour ses mauvaises intentions. Préparons-nous plutôt à l'affronter, mais en faisant notre profit de la loi de non-résistance conseillée par les Textes. Là encore, on se trompe sur leur signification. On a beaucoup glosé sur la terrible exigence du Christ, transmise dans l'Évangile de Matthieu (V, 38-39) : « *Vous avez entendu qu'il a été dit : Œil pour œil et dent pour dent. Eh bien ! Moi je vous dis de ne pas tenir tête au méchant : au contraire, quelqu'un te donne-t-il un soufflet sur la joue droite, tends-lui encore l'autre.* » L'Évangile tente ici de nous faire comprendre que si nous ne répondons pas à l'agressivité par l'agressivité de principe, notre adversaire va se sentir déstabilisé, car ce n'est pas ce qu'il attendait de nous. De même quand la tradition biblique dit : « *Bénis ton ennemi, et tu lui dérobes ses flèches* », elle ne nous incite pas à une hypocrisie vengeresse. Elle veut expliquer que si nous n'opposons pas la violence irréfléchie à l'animosité affichée, nous faisons perdre à notre adversaire une bonne partie de ses moyens. Ce qui ne nous empêchera nullement de faire valoir nos droits. Ce n'est rien d'autre, au fond, qu'un judo mental de première qualité.

Pour ma part, si un ami, sur la foi d'une rumeur, fait irruption chez moi pour me chercher querelle, je refuse de lui répondre du tac au tac, de laisser monter le ton jusqu'à l'irrémédiable. Il est en rage ? J'écoute attentivement ses griefs. Au besoin, je reconnais mes torts éventuels. « Si tu prétends que j'ai agi ainsi, c'est sans doute vrai. J'ignorais que ma conduite ait été aussi répréhensible, mais je te demande pardon, si tu l'as ressenti de cette façon, tu dois avoir raison. » Comme par miracle, la colère de mon interlocuteur – pourtant venu déclarer la guerre – tombe aussitôt et, après une mise au point dans le calme, nous nous quittons réconciliés. Combien de fois ai-je désarmé l'agressivité des gens en refusant de mettre mon ego en avant ! Il y a là une règle naturelle toute simple : lorsqu'une forte vague arrive sur le rivage, elle explosera avec violence si elle se heurte à un rocher, mais viendra mourir calmement sur une grève de sable...

Je me souviens que ma mère répétait souvent ce proverbe espagnol : « Deux ne peuvent se quereller quand un ne veut pas... » Un proverbe dont on retrouve l'écho dans cette formule zen : « *Quel est le bruit d'une seule main ?* » Chaque fois que nous sommes confrontés à un conflit, familial ou professionnel, avant de monter sur nos grands chevaux, essayons d'admettre que nous avons pu jouer un rôle, même indirect, dans la création de cette situation.

« *Vaincs la colère par l'amour, le mal par le bien,* insiste le Bouddha. *Conquiers l'avare par la générosité et le menteur par la vérité.* »

Nous avons beaucoup à gagner dans l'utilisation de cette neutralité bienveillante. Et la méditation, sous toutes ses formes, nous aidera dans l'acquisition de cette qualité. Grâce à notre nettoyage intérieur et à l'Amour que les puissances célestes nous prodiguent dans la prière du cœur, nous apprendrons à nous aimer nous-mêmes. Et si nous nous aimons, nous souffrirons beaucoup moins de l'inimitié ambiante. « *Aime ton prochain comme toi-même* », dit le Christ. Donc commence par apprendre à t'aimer, tu sauras aimer alentour...

Le *Notre Père*, lui, demande à Dieu : « *Pardonne-nous nos offenses, comme nous pardonnons aussi à ceux qui nous ont offensés.* » Et cela, je vous l'accorde, est encore plus difficile. Quand on nous a fait vraiment mal, nous avons plutôt envie de nous venger. Mais quel tracas nouveau, et quelle perte de temps ! N'avons-nous jamais fait souffrir personne, pour nous montrer aussi intransigeants ? Alors pardonnons ! Même forcés et contraints par les Textes, pardonnons ! Vous rendez-vous compte de la liberté que vous allez recouvrer pour vos autres tâches ? Ourdir des « opérations revanches » prend des jours, des mois, des années... Imaginez combien vous vous sentirez désencombré, donc plus fort, si vous renoncez à gaspiller votre énergie vitale dans la rancœur ! Vous n'êtes pas obligé de revoir vos ennemis, vous avez même intérêt à les écarter de votre chemin, mais oubliez-les !

Et puis, il ne faudrait quand même pas trop orienter l'interprétation des Textes, qui ne sont pas seulement des cours de « management » familial, professionnel et autre... Ne pas violenter son prochain, même en cas de rancune, lui pardonner, c'est aussi et avant tout alléger son karma, en tout cas ne pas l'alourdir.

D'autre part, cette prière d'amour qui nous a tant comblés ne signifie-t-elle pas que les autres – comme nous – ont davantage besoin de caresses que de coups ? Faut-il attendre qu'ils deviennent tous agréables, séduisants et parfaits pour commencer à les aimer ? La tâche de l'initié n'est-elle pas de devancer les ignorants dans la voie de la fraternité ?

*
**

Cette fin de l'ère des Poissons est marquée par un insatiable besoin d'amour, face à un mépris généralisé. Traumatisés peut-être par l'anonymat des grandes foules, égarés dans une civilisation de fourmis, nous souffrons de plus en plus de ne pas « exister ». Beaucoup de jeunes gens cherchent à échapper à ce malaise dans l'exaltation de l'amitié grégaire, des « messes » rock ou des manifestations sportives. Mais chez certains, la souffrance est si vive que pour attirer l'attention ils sont prêts à tout, y compris aux actes d'agression.

N'est-ce pas aussi parce qu'ils souffrent du mépris que les laissés-pour-compte se jettent à corps perdu dans les intégrismes les plus divers ? Ils trouvent là un moyen de « s'identifier » à un mouvement, une bouée de sauvetage dans un monde livré au non-sens, une occasion de « faire quelque chose » et d'échapper à notre dédain.

Chasser le mépris devrait être une des premières tâches de l'initié. La théorie de la réincarnation peut l'y aider. Car celle-ci pose avec vigueur que notre sexe, notre couleur de peau, notre statut social n'ont aucun rapport avec l'élévation de notre âme. Je l'ai dit dans le prologue de ce livre, on peut être chef d'État et traîner un karma effroyable, tandis qu'un mendiant sera plus évolué que celui qui lui fait l'aumône. L'intelligence elle-même n'est pas un titre de noblesse au regard de l'ascension des âmes. Elle est agréable à fréquenter, certes, mais sous l'emprise du mental, elle a souvent tendance à fournir un terreau privilégié aux puissances sataniques. L'intelligence n'est finalement qu'une faculté d'adaptation, c'est-à-dire parfois une forme de fourberie. La véritable clef de la progression, ce n'est pas le jeu cérébral, mais la simplicité. Choisissons le soufisme plutôt que le sophisme.

Et en tout cas, forts des lois de la transmigration des âmes, ne considérons plus jamais avec condescendance ceux qui semblent être, dans l'échelle sociale, « inférieurs » à notre rang.

Nous désamorcerions, là encore, bien des drames en puissance, si nous savions voir notre prochain – même étranger à notre « milieu » – dans cette perspective. Au lieu de détourner le regard de ce qui nous paraît trop différent, si nous le rendions au contraire un peu plus disponible ? L'un des moyens les plus immédiats de développer notre sentiment de fraternité (tous les humains proviennent de Dieu comme moi) consiste à renouveler sans cesse notre curiosité devant la variété infinie des visages humains. Cette variété est une richesse et un émerveillement, même si le mot a de quoi vous surprendre. Travaillant dans la mode, je crois bien connaître la beauté, classique ou exotique. Beauté « évidente » de superbes top-models, sans doute, à laquelle chacun peut être sensible. Mais aussi et partout, dans la rue, au restaurant, dans les transports en commun, beauté de tous les visages – sans exception aucune. Je les ai beaucoup observés, ces visages, au point d'en tirer quelques conclusions, exposées dans mon premier livre : certains traits physiques, comme la taille des lobes d'oreille, ou l'emplacement des pupilles, me fournissent des indications précieuses sur l'« âge » réel des gens. Car il est des âmes vieilles, ayant déjà vécu de nombreuses existences, et des âmes jeunes, qui en sont à leur première incarnation. Et chacune possède pour moi sa valeur. Dieu offre la Nature à notre contemplation, mais à mon sens le plus grand cadeau nous est offert dans les visages, tous différents, tous admirables : car la laideur n'existe pas, ou bien elle n'est qu'une facette du beau. Si vous voulez vous familiariser avec la grande fraternité humaine, commencez par vous abreuver de cette fresque sublime et inépuisable. De plus en plus cosmopolites, nos cités sont dans ce domaine une découverte sans cesse renouvelée. Le visage, seule partie du corps toujours à nu, c'est d'abord un être qui s'offre à nous, dans une vulnérabilité semblable à la nôtre, et qui incite au rapprochement.

Car c'est bien le rapprochement que la fraternité suppose. C'est la « communion » des premiers chrétiens rassemblés dans un corps unique, c'est la réconciliation avec la communauté humaine, c'est la pleine réalisation de l'humanité dans l'être humain. Cette attitude se trouve célébrée dans le *Suttanipata* des bouddhistes comme la meilleure façon d'exister : « *Ainsi qu'une mère au péril de sa vie surveille et protège son unique enfant, ainsi avec un esprit sans limites doit-on chérir toute chose vivante, aimer le monde en son entier, au-dessus, au-dessous et tout autour, sans limitation, avec une bonté bienveillante et infinie. Étant debout ou marchant, étant assis ou couché, tant que l'on est éveillé on doit cultiver cette pensée. Ceci est appelé la suprême manière de vivre.* »

La fraternité, c'est la compassion, exigée aussi bien par le Coran que par les Textes judéo-chrétiens et orientaux. C'est le fait de comprendre, et de partager, au moins moralement, les maux d'autrui. On ne peut tous les soulager, certes, mais au moins pouvons-nous essayer de ne pas fermer la porte aux manifestations de sympathie et d'accueil.

Dans toutes les religions, l'hospitalité est présentée comme une vertu divine. Sans doute devrions-nous en réapprendre le sens. Curieusement, le latin établissait un pont phonétique et peut-être étymologique entre l'*hostis* et l'*hospes*, entre l'ennemi et l'hôte, comme pour souligner que la civilisation avait franchi un pas décisif lorsque l'autre, l'étranger, était passé du statut d'ennemi à celui d'hôte. L'Antiquité voyait une source de bénédiction céleste dans l'arrivée du « voyageur », considéré comme le protégé ou le messager des dieux.

Sans doute nous est-il impossible d'héberger tous les pauvres et les étrangers chez nous, mais efforçons-nous de développer nos qualités d'accueil, et de disponibilité. Dans notre cercle familial, amical, et même professionnel, savons-nous « recevoir » les autres ? « Recevoir », ce n'est pas forcément offrir le gîte et le couvert, mais d'abord observer, écouter surtout. Nos contemporains sont perdus dans leurs contradictions, et dans leur complexité, ils cherchent des auditeurs, ils ont besoin de parler. Il n'y a plus de confesseurs, les Églises ont failli. Il nous faut donc chacun avoir ce don d'écoute.

Car au fond, ce que l'on nomme par de grands mots désuets comme la «charité», ou par des néologismes comme l' «altruisme», c'est d'abord cette attention offerte à nos semblables. Je vais au-devant d'eux parce que nous sommes compagnons de voyage dans cette fragile « piscature barque » dont parle Nostradamus. Je sais que notre évolution, nos destins, sont indissociablement liés. Nous ne pouvons pas nous contenter d'évoluer «chacun de son côté», car en plus de notre karma personnel, nous sommes descendus sur cette Terre pour prendre en charge le karma collectif, somme de toutes les actions humaines. Si je me suis intégré, matériellement, dans cette société, à ce moment historique précis, c'est que les faits positifs comme négatifs des hommes sont aussi les miens actuellement. Je fais partie de ce karma, et donc je dois m'employer à le faire évoluer.

Nous avons dit plus haut que ce dont les êtres humains modernes souffrent le plus, c'est de ne pas « exister » aux yeux des autres, et que là résidait la source de bien des provocations. J'en ai souvent la preuve, quand je vais m'asseoir à une célèbre terrasse de café dans le quartier des Halles, à Paris, lieu central où débouchent plusieurs RER, modernes trains de banlieue. J'ai l'impression de regarder un film en cinémascope dont les centaines de figurants défilent devant moi. Ils sont de toutes les races, de tous les âges, circulent seuls ou en groupe, mais toujours le regard anxieux qui cherche éperdument un autre regard : celui d'un inconnu qui daignerait les considérer comme des êtres familiers, et non des curiosités touristiques. Un des grands crimes de la modernité est d'avoir supprimé cette *agora* où les gens pouvaient se rassembler, échanger leurs points de vue. D'où l'immense solitude des foules urbaines, toutes prêtes, dès lors, à écouter et soutenir le premier « meneur » venu.

À défaut de les haranguer, ce qui serait contraire à mes plus élémentaires principes, au moins je les observe avec aménité. Certains me sourient alors, d'autres me reconnaissent, viennent vers moi, me demandent parfois un autographe. Il m'arrive de proposer à quelques-uns d'entre eux de prendre un verre, et je vois dans leurs yeux combien cette simple invitation les touche et les fait revivre. Une de mes élégantes clientes, mais qui ne rechigne pas à prendre le métro, m'a raconté qu'un jour, saisie de vertige sur le quai, elle a demandé à un jeune Indien de l'aider à regagner la sortie. « Quand j'ai pris le bras qu'il me tendait, j'ai vu Noël dans ses yeux », m'a-t-elle dit. Cette dame n'est pas jeune, elle ne se vantait donc pas là de l'effet de ses charmes. Elle s'émerveillait juste de la simplicité avec laquelle elle avait offert un instant de joie : en traitant d'égal à égal un être qui se croyait sans doute d'une caste inférieure.

La compassion est l'un des piliers essentiels de la quête alchimique : « *Si tu veux réaliser notre Pierre,*

écrit Basile Valentin dans *Le Rebis des douze clefs, sois sans péché, persévère dans la Vertu. Que ton esprit soit éclairé de l'amour de la Lumière et de la Vérité. Prends la résolution, après avoir acquis le don divin que tu souhaites, de tendre la main aux pauvres embourbés, d'aider et de relever ceux qui sont dans le malheur.* »

Encore faut-il nous méfier de la fausse charité. Celle que nous pratiquons pour nous donner bonne conscience, pour nous dédouaner. Comme moi, vous avez sans doute vu des gens qui, au sortir d'un lieu de culte, lançaient une insulte à un passant qui avait eu le malheur de se mettre en travers de leur route. Je sais bien que nous ne sommes pas censés sortir « parfaits » d'une église, mais lorsqu'on apprend aussi peu de son passage dans un lieu saint, on perdrait moins son temps au comptoir d'un bistro que sur un prie-Dieu !

On ne fait pas l'aumône – sous quelque forme que ce soit – pour amadouer la chance, ni pour satisfaire son amour-propre et paraître « bon », ni pour en retirer quelque mérite ostentatoire, encore moins pour alléger son karma. Dieu n'est pas une caisse enregistreuse. Si nous faisons le « bien » dans le but de gagner des « indulgences » pour passer dans les Plans vibratoires supérieurs, on ne nous en tiendra pas compte. La récompense ne nous sera donnée que « de surcroît », si nos intentions se sont révélées réellement généreuses, c'est-à-dire désintéressées. « *Pour toi, quand tu fais l'aumône, que ta main gauche ignore ce que fait ta main droite* », nous dit Matthieu (VI, 3).

LE TEMPS PRÉSENT

On ne fait pas non plus acte de charité en prétendant « éduquer » pompeusement les personnes dont on croit qu'elles sont ignares sur le plan spirituel. C'est là une tentation fréquente de ceux qui s'imaginent déjà bien avancés sur le chemin de la Connaissance. La sagesse orientale nous met en garde : « *Celui qui croit être sur la Voie du Tao n'est pas sur la Voie du Tao.* » « Le sage n'est pas celui qui prétend tout savoir, mais celui qui est capable d'apprendre de tout homme », confirme un proverbe juif. Aller vers les autres avec le sentiment d'être un individu exceptionnel et merveilleux ne peut que les faire fuir.

Un autre écueil à éviter, dans nos tentations généreuses, est d'en faire un exorcisme à la peur. Essayer d'amadouer les « zoulous » des banlieues en leur témoignant une sympathie tremblante pour éviter qu'ils nous prennent à partie, ça ne marche jamais. N'oublions pas que dans « charité », il y a « chérir » : nous ne pouvons faire vraiment le bien que si nous aimons – toujours de cette bienveillante neutralité divine – ceux à qui nous le faisons. Et si nous les aimons, nous ne saurions avoir peur d'eux. Et si nous n'avons pas peur, ils le sentent, ils s'en réjouissent, contrairement à ce que leurs attitudes provocatrices laisseraient à penser, donc ils ne nous font pas de mal. La vraie générosité implique forcément une absence fondamentale de crainte à l'égard de nos prochains. L'amour est l'antidote de la peur.

Je sais bien que cela ressemble à un conte de Noël, qu'il y aura toujours, ici et là, des chapardeurs en quête de larcins, des malfrats prêts à couper un doigt pour arracher une bague, des forcenés avides de sang, des déséquilibrés irresponsables. Mais au nom du Ciel, ne considérons pas que c'est la généralité, sinon nous entrerons nous-mêmes dans le cycle de la haine, et nous ne ferons plus rien pour sauver l'humanité, c'est-à-dire notre propre état.

Cette compassion, cet Amour dont nous devons nous servir pour survivre, individuellement et à titre collectif, il va falloir de surcroît l'élargir à la planète entière. Et là encore, fustigeons la fausse charité, les tartufes du cœur planétaire ! Que penser des États qui vendent partout des armes et qui ensuite montent des opérations « survie » pour se dédouaner, et faire oublier qu'ils ont participé aux crimes qu'ils dénoncent ?

Mieux vaut tard que jamais, me direz-vous. Je ne suis pas de ceux qui critiquent systématiquement la charité organisée, médiatisée, mise sur ordinateur. Qu'elle aide à ramasser quelques millions pour telle ou telle cause, tant mieux. Que nous en tirions l'orgueil d'avoir participé à une noble démarche est beaucoup plus suspect. L'amour doit aller de soi : en ce sens, il ne saurait être déculpabilisateur. Et avant d'être autosatisfait, il doit se montrer efficace. La véritable « utilité » doit être sa primordiale conséquence.

Aujourd'hui, dans une société qui n'a plus de sens à offrir, nombreux sont ceux, jeunes ou vieux, qui caressent le rêve de se vouer à une activité humanitaire. On peut s'en réjouir, à condition de bien mesurer les limites et dangers de cet élan romantique. Les spécialistes des causes humanitaires savent qu'il faut se montrer vigilant sur les motivations réelles de ceux qui proposent leurs services. On ne va pas vers les démunis par condescendance. On les soigne comme ses semblables, et en se donnant les moyens de le faire. En rassemblant ses forces, ses compétences, et en tenant le coup : pas en se disant qu'on « fait le bien ». L'infirmière qui travaille dans un camp de réfugiés en Afrique ne pense pas qu'elle est en train de faire le bien, elle n'en a ni le loisir, ni l'envie : elle pare au plus pressé, exécute son travail, dans la réalité urgente, si horrible soit-elle.

En fait, il ne faudrait pas « faire la charité », mais « devenir » charité, « être » compassion, sans aucun calcul, aucune arrière-pensée, sinon celle d'aider vraiment nos prochains.

Pour cela, il faudra autre chose que la charité au coup par coup, à la mode de nos jours. Celle-ci en effet sera impuissante à éviter les affrontements mondiaux. Cessons de nous rassurer par ces politiques du « pansement » local, et tâchons d'attaquer le mal à son origine. À quoi bon donner deux sous à un pauvre, si l'on passe derrière pour lui « pomper » littéralement ses ressources, lui réclamer le paiement de dettes que nous avons en grande partie suscitées et finalement lui ôter sa dignité ? À quoi bon faire des vœux pieux sur le « développement » du tiers-monde si nous continuons de lui soutirer toujours plus d'argent que nous lui en apportons ? Espérons que nos dirigeants occidentaux le comprendront, sinon les grandes guerres de l'Apocalypse auront cours.

*
**

Tant il est vrai que l'amour est non seulement notre arme secrète, notre loi intérieure, mais représente désormais la seule façon d'éviter la destruction apocalyptique. L'humanité est sur le fil du rasoir, entre son salut et sa perte. Son salut, c'est le passage dans l'ère du Verseau, promise à la réconciliation universelle. Sa perte résiderait dans le non-usage de l'amour.

Car l'amour reste à mettre en pratique. La sentence « nous sommes tous frères » relève trop souvent d'un idéalisme lénifiant auquel personne, en fait, ne croit vraiment. L'homme est peut-être un loup pour l'homme, mais il est temps que cela cesse. Regardons la réalité en face : nous sommes à l'heure du choix. Ou nous renonçons tous azimuts à la violence (de quelque nature qu'elle soit), ou nous sombrons dans le néant. Les bons sentiments ne servent à rien, il convient de les appliquer, de les réaliser. *« Celui qui entend et ne met pas en pratique est comparable à un homme qui a bâti une maison à même le sol, sans fondations : le torrent s'est jeté contre elle et aussitôt elle s'est effondrée ; et la destruction de cette maison a été totale »* (Luc VI, 49).

Cette destruction nous guette. La Bible nous a mis en garde contre elle, et le Christ a bien précisé : *« N'allez pas croire que je sois venu abolir la Loi ou les Prophètes : je ne suis pas venu abolir, mais accomplir »* (Matthieu V, 17).

Méfions-nous ! Ne sombrons pas dans l'erreur de penser que cet amour prôné parfois en termes suaves est un prêchi-prêcha soporifique. « *Voyez ! Qu'il est bon, qu'il est doux d'habiter en frères tous ensemble*, lit-on dans le Psaume 133. *Là, Yahvé a voulu la bénédiction, la vie à jamais.* » Et voilà les sarcasmes qui pleuvent ! Et pourtant cette « douceur » n'est-elle pas préférable à notre barbarie actuelle ? Attention ! N'oublions pas que l'Apocalypse ferme la Bible, avec sa cohorte – possible – de tourments. Apocalypse, certes, veut dire « révélation », mais nous ne parviendrons à ces lumières que si nous changeons radicalement notre façon d'être. « Tout l'amour du monde » est devenu une obligation. Profitons de la prière du cœur, qui nous rapproche de Dieu, pour découvrir cet amour-là. « *Celui qui n'aime pas n'a pas connu Dieu, car Dieu est Amour* », précise la Première Épître de Jean (IV, 8). Cet amour « total » n'implique pas la moindre sensiblerie. Il n'est pas un état d'âme, mais un état de l'âme, une force et une nécessité. Oublions l'anti-solitude, l'anti-peur, l'anti-haine, l'anti-danger, il faut aller plus loin. Parvenir à un amour universel, dépourvu de passion, de désir de possession ou de profit, un amour « neutre » et d'autant plus généreux : nous ne nous en sortirons pas sans cette mutation.

On a usé et abusé de la célèbre citation attribuée à Malraux, selon laquelle « le XXIᵉ siècle sera religieux ou ne sera pas », sans vraiment mesurer la menace qu'elle implique. Malraux n'annonçait pas là une « tendance » à venir, un retour en vogue de la chose spirituelle – comme on prédirait le retour des pantalons à pattes d'éléphant ou du hoola-hoop. Il disait : « Prenez garde ! » L'important, en effet, c'est le second terme de l'alternative : « ou ne sera pas ». Cela signifie en clair que si l'on ne retrouve pas le vrai message des textes sacrés, fait de partage, d'amour, de fraternité, alors l'humanité sombrera inéluctablement dans le néant et la destruction. Ou bien le monde du XXIe siècle s'ouvrira à l'Amour, ou bien il ne survivra pas...

Et encore une fois, il s'agit de « tout l'amour du monde », le plus difficile à envisager pour nous, encore si désireux de fermer les yeux sur cette mondialité, si enclins à croire que nous ne sommes pas responsables de nos frères humains. Souvenons-nous du cri terrible de Caïn après le meurtre d'Abel : « *Suis-je le gardien de mon frère ?* » Eh bien oui ! Nous sommes tous les gardiens de nos frères ! Et c'est à nous que s'adresse la réponse de Yahvé à Caïn : « *Qu'as-tu fait ? Écoute le sang de ton frère crier vers moi du sol !* » Caïn sera épargné, on le sait, mais sa descendance maudite se verra finalement exterminée par le Déluge...

Donc à nous de jouer. La plus grande preuve d'amour que nous donne la Divinité, c'est sans doute d'avoir laissé intact notre libre arbitre. Nous restons maîtres de notre destin, et par là même responsables du sort de la planète. À nous de choisir le chemin que nous voulons emprunter... Dans Son Amour, Dieu aimerait nous indiquer la bonne direction, mais l'option finale dépend de nous. C'est le sens des interrogations lancées par Yahvé à Caïn avant le meurtre : « *Pourquoi es-tu si irrité et pourquoi ton visage est-il abattu ? Si tu es bien disposé, ne*

relèveras-tu pas la tête ? Mais si tu n'es pas bien dis-
posé, le péché n'est-il pas à ta porte, une bête tapie qui
te convoite ? Pourras-tu la dominer ?»

Pourrons-nous dominer nos tendances à la crispation égoïste ? Saurons-nous nous ouvrir ? Relever
la tête pour contempler, à l'image du sphinx de
Guizeh, l'astre solaire, le rayon de lumière divine ?

Si nous choisissons la bonne voie – pas nécessairement la plus facile –, si après nous être servis
de l'amour, nous apprenons à servir l'Amour qui
vient de Dieu, cette énergie colossale nous sortira
des affres de la matière. L'amour ainsi conçu sera
non seulement source de joie, mais une fantastique
trajectoire qui poussera chaque être à explorer ses
limites supérieures. « *L'Amour est fort comme la*
Mort », dit le Cantique des Cantiques (VIII, 6). Je
gagerais qu'il est plus fort qu'elle, quand il vient de
Dieu et y mène. C'est « un feu apporté sur Terre »,
pour que les hommes s'aiment dans la dimension
divine. À cet égard, les autres représentent – aussi
– notre meilleur chemin vers la Divinité. Cet Amour
que nous leur portons est une boussole vers la grâce.
C'est sans doute pour cela que le Christ dit, dans ce
geste célèbre qui montre le chakra du cœur : « *Ceci*
est le passage qui mène au royaume de mon Père. »

CHAPITRE SEPTIÈME

TROUVER DIEU ?

Les Pharisiens lui ayant demandé quand viendrait le Royaume de Dieu, il leur répondit : « La venue du Royaume de Dieu ne se laisse pas observer, et l'on ne dira pas : voici, il est ici ! ou bien : il est là ! » Car voici que le Royaume de Dieu est au milieu de vous.

Luc, XVII, 20-21

La quête spirituelle et les techniques qui l'accompagnent ont beau nous persuader chaque jour davantage d'une Présence immanente qui nous guide, nous soutient, nous « ravit » parfois, le rêve absolu demeure : apercevoir, ne fût-ce qu'un instant, cette Présence, ressentir cette certitude (douterions-nous encore ?) – trouver Dieu...

Certains êtres humains ont la chance d'avoir cette « illumination » sur le chemin de la Connaissance. Brusquement, la Divinité leur apparaît, rayonnement colossal qui éveille toutes les cellules de leur enveloppe corporelle, laquelle s'épanouit alors dans la jubilation de l'amour infini. Des poèmes soufis au Cantique des Cantiques en passant par la « chambre nuptiale » des gnostiques, tous les grands Textes du mysticisme ont eu recours au langage amoureux pour exprimer l'ineffable confondement avec la Divinité.

Le sentiment de l'éternité dans le temps présent... Telle pourrait être ma «définition» de l'approche de Dieu, si je ne savais pas, par expérience, que cette proximité est indéfinissable. Comment exprimer la joie de cette longue vibration qui naît alors en vous, ces frissons, ce « transport » qui vous mène aux confins de l'univers, et la grandiose humilité qui en même temps vous saisit ?

Au risque de faire sourire les incrédules, j'avoue avoir vécu, l'espace d'un instant, cette révélation. Dans *Trajectoire*, j'ai raconté comment, après plusieurs années d'intenses prières, au moment où je m'y attendais le moins, j'ai connu cette Lumière qui a changé ma vie. Ce n'était pas dans un lieu saint, mais dans le cadre insolite du stade Pershing, à Vincennes... Une colonne luminescente, semblable à un arc-en-ciel déchirant les nues, a surgi devant moi, me laissant terrassé. Je me suis senti en harmonie parfaite avec le Tout cosmique, happé par cette Énergie suprême qui anime toutes choses, confondu avec l'Un. Dans cette infime parcelle de seconde, j'ai fait l'expérience de l'Éternité.

Et j'imagine bien ce que semblable aveu peut avoir d'irritant ! Vous admettez à la rigueur les extases d'un saint Jean de la Croix ou d'une sainte Thérèse d'Avila, parce qu'elles vous apparaissent comme la logique conclusion d'une vie tout entière vouée à la recherche de Dieu. Mais que des hommes du commun, même « croyants », même priant beaucoup, aient cette chance, vous vous dites : « Pourquoi cette préférence, pourquoi pas moi ? » Ne soyez pas trop impatients. Le moment viendra, s'il doit venir, quand vous serez prêts à soutenir la périlleuse rencontre avec l'Indicible. Car si les voiles d'Isis masquent le foyer lumineux, ce n'est pas seulement pour amener l'initié à une découverte progressive : c'est aussi pour nous rappeler que la Vérité est aveuglante... Nombreuses sont les traditions dans lesquelles la Divinité ne peut se révéler à sa créature, sous peine de la « désintégrer » ou de la phagocyter.

Dans notre religion judéo-chrétienne, Dieu S'est ainsi présenté sur Terre à Élie et à Énoch. Tous deux ont été avalés, ils ont disparu dans un tourbillon de feu sans laisser de cendres, leur être tout entier se trouvant transformé en énergie pure. D'où la nécessité pour nous, plutôt que de demander à « voir » Dieu, de nous adresser d'abord à tous Ses intermédiaires qui constituent autant de paliers entre Lui et nous. Ces anges gardiens et Hiérarchies célestes sont là pour nous rassurer, avant l'éblouissement final, sur la justesse de notre itinéraire...

Car le chemin qui mène à Dieu n'a rien d'une désolante traversée du désert, où seul vaudrait le but du voyage ! L'attente de l'extase est ponctuée de balises réjouissantes. À chaque nouvelle étape, lorsque vous progressez dans le nettoyage de la demeure et la clarification du mental, un moment de joie formidable éclate à l'intérieur de vous. Ce genre de phénomène peut même se reproduire avec régularité, pierres blanches qui vont vous redonner du cœur à la pratique et vous permettre de constater les progrès accomplis. Ces vibrations célestes descendront en vous chaque fois que, dans votre méditation, vous aurez atteint le son juste.

Ne vous focalisez pas sur l'illumination finale. L'important est de savoir qu'en vous mettant en quête *réellement* – non pas pour vous targuer d'un nouvel état de conscience, mais pour parvenir à une Connaissance supérieure – vous verrez peu à peu s'accomplir votre propre transformation. Toute pratique régulière entraîne nécessairement des résultats. À défaut d'expérience extatique, vous ne tarderez pas à sentir s'éloigner les tracas quotidiens. Plus exactement, c'est votre regard à leur endroit qui va changer... Vous allez prendre du recul, de l'altitude. Mais vous allez aussi vous dire : attention ! C'est peut-être un avertissement.

Nous touchons là un sujet délicat, car on risque de dévier rapidement sur le thème de la « punition divine ». Or il ne s'agit pas d'une « punition », mais d'un rappel à l'ordre. Nuance capitale, qui maintient intact l'Amour de Dieu, et Son désir de nous voir progresser. Beaucoup de nos déboires nous ramènent ainsi dans la *réalité* du chemin. Alors au lieu de désespérer ou de nous énerver, pourquoi ne pas apprendre à faire bon usage de ces mises en garde ? Porter d'autres yeux sur nos incidents de parcours, nous responsabiliser davantage...

Si vous écopez d'un procès, n'est-ce pas *aussi* parce que vous n'avez pas su ou voulu négocier à temps ? Si votre enfant se laisse tenter par la drogue, n'est-ce pas *aussi* que vous n'avez pas su lui transmettre un plaisir de vivre ou votre amour ? Et si vous avez un problème de santé, n'est-ce pas *aussi* parce que vous avez trop longtemps négligé l'entretien de votre corps ? Bien sûr, les liens de cause à effet ne sont pas toujours si directs, ils sont même parfois tortueux, mais le principe reste le même : toute épreuve est un coup de semonce. Attention toutefois ! Cela ne vous autorise pas à tirer la moindre conclusion sur les épreuves endurées par les autres : leur destinée vous sera toujours plus impénétrable que la vôtre, et vous ne pouvez en « juger »... Mais en ce qui vous concerne, au lieu de vous indigner – « pourquoi moi ? » – demandez aux puissances divines de vous montrer de nouveau le droit chemin. Vous pouvez même prier avec une certaine violence : « Je suis dans le pétrin, que dois-je faire ? Je m'en remets à Votre volonté, mais venez à mon secours. Donnez-moi un signe ! »

Une fois qu'on aborde une embûche sous cet angle, le miracle se produit : elle tend à s'aplanir, et les signes se font jour. Ma responsabilité assumée, les choses se mettent à évoluer, d'une façon qui ne cesse de m'émerveiller. Plus vous vous crisperez sur un problème, moins vous entreverrez la solution. Si au contraire vous demandez pardon à Dieu, avec sincérité et confiance, si vous cherchez où, dans votre existence, le « bât blesse » et que vous y remédiez, alors le légendaire « cheval du Prophète » vous emmènera sans doute là où se trouve la solution. Et peu à peu, de problème accepté en problème résolu, vous trouverez les voies de la sérénité.

LE TEMPS PRÉSENT

Sérénité... Le mot ne vous plaît pas ? Vous avez tort. Car la sérénité dont je parle n'a rien d'une morne indifférence. C'est déjà, dans son survol des choses de ce bas monde, une merveilleuse approche de Dieu. Pour y parvenir, il faut pratiquer ce que j'appelle la macération. Pour obtenir la pierre philosophale, but ultime de sa recherche, l'alchimiste devait d'abord placer dans un mortier la matière première, l'antimoine, qu'il broyait finement afin de séparer, nous dit Hermès Trismégiste, « le subtil de l'épais ». La macération représente ce travail intérieur grâce auquel la partie lourde de notre être va se décanter pour permettre à la partie subtile, l'esprit, de s'élever. Les faux problèmes se distinguent des vrais, le terrestre du céleste, le momentané de l'éternel.

La macération va venir à bout du doute qui s'empare de vous lorsque, ayant engrangé les lectures, les informations et les expériences, vous ne parvenez pas encore à relier tous ces éléments. Vous avez compris certains points, mais la vue d'ensemble vous fait encore défaut, vous ne savez pas encore saisir tous les messages. Ce savoir accumulé va « macérer » en vous, comme dans un creuset, pilonné par l'espoir... Et puis brusquement, toujours grâce aux techniques de méditation, une illumination intervient et c'est un pan entier de la Connaissance qui s'ouvre à vous dans sa splendeur. Le chemin se déroule devant vous, dallage large et droit. La Connaissance vous arrive dans sa simplicité primordiale, qui dissout l'apparente complexité du monde et des opinions humaines.

TROUVER DIEU ?

Nous sommes alors semblables à cet archer que l'on retrouve dans le Zen japonais comme dans l'islam. L'archer vise sa cible, métaphore de Dieu. Il prend son arc, son outil, sa philosophie ; il se campe sur ses deux pieds, maîtrise ses tremblements, positionne la flèche. La tension de la corde figure la méditation, cette prière ardente qui monte de l'archer. Mais tant que la corde reste tendue, il ne pourra atteindre Dieu. Un beau jour, il regarde la cible, la flèche, et son arc, puis se dit : tout cela n'est qu'un. Il lâche prise, et la flèche file droit au but. Elle troue les ténèbres de l'ignorance pour établir un lien direct, en droite ligne, entre le cœur de l'archer et le centre de la cible, entre le noyau de son être et l'Un. C'est la perfection spirituelle, c'est l'union parfaite que chante le mystique musulman Hallaj, que l'on a surnommé le « Christ de l'islam », car sa foi radicale lui valut d'être mis en croix à Bagdad au IXᵉ siècle.

> *« Il n'y a plus entre moi et Dieu d'explication,*
> *ni preuves, ni signes pour me convaincre.*
> *Voici que s'irradie l'apparition de Dieu,*
> *flamboyante en moi, comme une perle*
> *[irrécusable. »*

Pour augmenter l'efficacité de cette macération, et donc pour approcher plus sûrement Dieu, vous pouvez recourir aux bienfaits d'une « retraite ». Cette brève mise « hors jeu » est actuellement à la mode, mais nombreux sont ceux qui abordent cet exercice de la pire manière : ils s'imaginent qu'en se retirant deux jours dans un couvent ou un monastère, ils vont bénéficier de l'hôtel/autel de Dieu, et réfléchir à loisir aux problèmes qui les préoccupent. Dans votre quête divine, admettez que c'est presque une offense. Vous avez des soucis ? Cherchez d'abord Dieu, dans ce lieu « exprès pour ». Vous verrez ensuite combien vos tracas vont se relativiser.

Commencez par « habiter » l'espace de votre cellule, prenez conscience de ce prie-Dieu, ce crucifix ou cette icône qui vont vous rappeler pourquoi vous êtes ici. Absorbez-vous dans ce silence qui, dit la règle monastique, est à lui seul une « grande cérémonie ». Assistez à tous les offices, profitez des bienfaits multipliés de la prière en commun. Vous n'êtes pas là pour analyser votre existence, mais pour vous situer uniquement sur le plan de la vibration, de l'instant présent, et non de la pensée réflexive.

La retraite nous aide à comprendre que les soucis de notre vie quotidienne sont comme les avions qui traversent le ciel : ils rompent peut-être le silence et strient l'azur, mais l'immensité du ciel était là avant eux... Nous nous apercevons alors que les plus grands secrets nous sont offerts en permanence mais que nous passons à côté sans les voir, trop fascinés que nous sommes par le passage des avions... Dans ces moments-là, ou bien lorsque vous méditez un texte des Écritures et que le sens profond des mots sacrés jaillit au cœur même de votre être, vous oubliez le fracas des moteurs : vous vous sentez rempli de force et de joie.

TROUVER DIEU ?

Ce n'est pas encore voir Dieu, certes, mais cette vibration-prière s'élève vers les Cieux, et nous avançons soudain d'un pas immense. Nous savons avec certitude que Dieu et Ses Hiérarchies sont autour de nous. Nous sentons leur présence, la caresse de leur souffle, ou leurs rires d'encouragement. Car Dieu est Joie, soyez-en sûrs ! Les souffrances des saints et autres martyrs, nous l'avons déjà dit, sont là pour alléger notre trop lourd karma collectif, mais Dieu, Lui, si nous acceptons de nous en remettre à Son extrême prévenance, est synonyme de bonheur. Et ce bonheur indescriptible est la panacée de tous les dangers. Lorsque vous êtes pris dans cet Amour divin, c'est tout le monde astral qui se penche vers vous et murmure : « Plus rien ne peut t'atteindre. »

Voilà ce que doit être le bienfait d'une retraite. Et il ne s'arrête pas là ! Si vous avez bien compris la leçon, vous serez capables d' « entrer en retraite » n'importe où, dans votre maison de campagne aussi bien que dans un lieu consacré. Un jour peut-être, ces « mises entre parenthèses » deviendront même superfétatoires, car vous aurez réussi à prolonger indéfiniment l'état d'esprit du retraitant...

Ceux qui ne parviennent pas à cette sérénité suprême sont-ils bien conscients que la clef réside dans l'absolu du lâcher prise ? Toutes les religions insistent sur ce passage obligé vers la Divinité, quel que soit le nom qu'on lui donne : capitulation, annihilation, reddition, abnégation, abandon, obéissance... Le mot même d'islam ne signifie-t-il pas « soumission » ? Notion sujette à tous les malentendus... On entend volontiers par là soumission aux rites et aux dogmes, alors qu'il s'agit de se soumettre à la volonté divine. Et il ne s'agit pas d'une défaite, mais de notre plus belle victoire ! Elle ne nous condamne pas à une apathie servile mais nous jette dans le grand fleuve de la vie. Elle ne nous demande pas d'accepter un joug, mais au contraire de déposer notre fardeau ! Le lâcher prise veut dire : « Cessez de vous contracter inutilement, *quelque chose* vous soutient. » Alors que nous sommes, généralement, dans la position grotesque de ce voyageur qui, monté à bord d'un navire, s'obstinerait, contre tout bon sens, à porter ses valises à bout de bras...

Concédons qu'il n'est rien de plus difficile que ce lâcher prise complet. Il revient à accepter tout ce qui nous arrive comme l'expression de l'Amour de Dieu à notre égard, et Son désir de nous montrer le chemin. Bien plus que de nous rendre disponibles aux vulgaires contrariétés de la vie, cela signifie accueillir sans peur la maladie, la vieillesse et la mort. Quoi de plus révélateur de notre angoisse contemporaine que l'évacuation systématique de ces trois notions clefs ? Les malades et les vieillards sont mis en quarantaine, non pour leur protection, mais afin de ne pas déranger le reste de la population. On calfeutre les chambres des mourants, on enterre les morts au petit matin, à la va-vite... Et pourtant, qui ne voit que c'est la non-acceptation de la vieillesse et de la mort qui nous empêche d'être heureux ? Ce refus tétanique nous rend avides de pouvoir, de richesses, de plaisirs, comme pour com-

penser notre peur panique. Effort vain, vu la briè-
veté du passage ici-bas...

Nous sommes si désemparés que nous ne nous
intéressons de nouveau à nos morts que pour les
rappeler à l'aide lorsqu'ils ont quitté leur dépouille !
Nous leur demandons de déplacer les tables, ou
bien nous quémandons un soutien moral. Ce qui
n'est pas à faire, nous l'avons déjà signalé. « *Laissez
les morts enterrer les morts* », disait brutalement le
Christ. Une âme défunte est plongée dans un univers énergétique, où elle va lentement franchir les
paliers du Ciel. De quel droit l'interromperions-
nous dans son ascension ? Pleurer ses morts est un
crime, nous devrions « rire nos morts » ! Leur dire,
au lieu de les ramener vers nous : « Ne te détourne
pas de la Divinité, monte vers elle et notre joie sera
plus intense. »

Veillons à ce que notre intérêt pour la spiritualité ne devienne pas un voile supplémentaire
grâce auquel nous masquerions la vieillesse et la
mort. Nul évidemment ne peut prouver Dieu, ni la
théorie de la réincarnation, mais lorsque notre
conviction relève du *ressenti*, nous savons que nous
n'avons pas cherché là une réponse commode à
notre peur de mourir, comme le prétendent les
incrédules. Nous ne nions plus la souffrance ni le
malheur, nous cessons simplement de les placer en
conflit irréductible avec la vie.

Une des paroles les plus éclairantes de la Bible
est peut-être cette phrase extraite du Livre de Job
(II, 10) : « *Si nous accueillons le bonheur comme un
don de Dieu, comment ne pas accepter de même le
malheur !* » Ce que le *Tao tê King* dit en ces termes

(chapitre 57) : « *Le malheur porte le bonheur, le bonheur sous-tend le malheur.* »

De tout temps, l'homme a cherché le bonheur. Mais sa quête n'a-t-elle pas reposé sur de terribles quiproquos ? Nous avons espéré une permanence du plaisir, un état qui expulserait tout désagrément. D'où les tragiques méprises de notre civilisation : nous avons confondu le bonheur avec l'accumulation et le confort matériels. Prenons garde à ne pas tomber sous le charme d'une autre illusion, qui consisterait à chercher la félicité dans l'évasion spirituelle. La quête spirituelle n'a rien d'une fuite illusoire : c'est une longue marche vers la réalité. N'est-il pas temps de comprendre que nos conceptions dualistes, séparant le bien et le mal, le rationnel et l'irrationnel, le bonheur et le malheur, nous enferment dans d'interminables dilemmes et frustrations ? Je ne nie pas l'existence du bonheur, mais je lui préfère pour plus de clarté le terme de sérénité, car le vrai bonheur passe d'abord par la prise en compte du malheur.

« Que Ta volonté soit faite, et non la mienne ! » Aucun initié ni adepte ne peut prétendre connaître cette volonté. Nous devons l'accepter quelle qu'elle soit, en sachant qu'elle sera bien pour nous. Encore une fois, aucun fatalisme ici : il s'agit au contraire de faire face, de se colleter non pas avec « ce qui devrait être » mais avec « ce qui est », afin de mieux rebondir. N'est-ce pas là encore se remettre en prise avec le Temps présent ?

Cette attitude est d'ailleurs la seule qui vaille d'un point de vue logique. Qui s'épuiserait à nager contre le courant alors qu'il suffit de se laisser porter ? Qui a pu résister à la volonté divine et demeurer en paix ? demande le Livre de Job. En m'abandonnant au vouloir divin, je ne m'aplatirai pas servilement, je m'élèverai vers lui.

*
**

Loin de rester une simple « technique », la méditation du cœur envahit peu à peu notre façon de considérer l'existence. La prière devient un état, et notre vie une oraison. « Pense à Dieu plus souvent que tu ne respires », disait Épictète. Après la prière-litanie, la prière-demande d'aide, la prière du cœur, nous voici prêts pour la prière-adoration, l'appel ébloui de la Divinité.

Et n'allez pas croire que cette prière perpétuelle soit réservée aux ordres contemplatifs. N'allez pas vous en priver sous prétexte que vous « n'avez pas le temps ». Dieu ne prend pas de temps, puisqu'Il est toujours là ! On travaille, on mange, on discute, la prière continue. Quand j'inspire, je prie ; en expiration, je prie encore. On parvient ainsi à faire de la respiration un acte d'adoration. « Penser à Dieu », ce n'est pas se perdre dans des arguments théologiques, c'est simplement vivre dans Son Énergie.

Lorsque la Vierge, dans ses apparitions récentes, nous presse, pour enrayer la course folle de l'humanité vers la destruction, de « devenir des êtres de prière », elle ne nous demande pas de consacrer un quart d'heure de notre planning à de vagues incantations, mais de parvenir à cet état d'homme nouveau, capable de porter sur le monde un regard unifié par une compréhension retrouvée. Une âme qui, comme disent les gnostiques, peut affirmer qu'elle « s'est connue elle-même et a ramassé ses membres dispersés ». Surmontés, la complexité du monde et l'écartèlement de son moi, ainsi que les dualismes sources de stress ! Jusqu'à l'opposition traditionnelle entre vie active et vie contemplative qui s'efface d'elle-même.

« *Heureux les unifiés et les élus : vous trouverez le Royaume, vous êtes issus de lui et vous y retourne-rez* », lit-on dans l'Évangile de Thomas (logion 49). Le texte grec dit : heureux les *monachos*, qui ne sont pas seulement les « moines », mais aussi tous ceux qui ont su reconstruire leur cohésion primordiale.

Ce même Évangile apocryphe de Thomas (logion 22) résume par cette unicité, dont l'image est la simplicité enfantine, le secret qui doit nous permettre d'accéder au confondement avec Dieu :

> «*Jésus vit des petits qui étaient au sein.*
> *Il dit à ses disciples : "Ces petits qui tètent*
> *sont semblables à ceux qui entrent dans le*
> *[Royaume."*
> *Ils lui demandèrent :*
> *"Alors, en devenant petits, nous entrerons dans*
> *[le Royaume ?"*
> *Jésus leur dit :*
> *"Lorsque vous ferez le deux Un*
> *et que vous ferez l'intérieur comme l'extérieur,*
> *l'extérieur comme l'intérieur,*
> *le haut comme le bas,*
> *lorsque vous ferez du masculin et du féminin*
> *un Unique,*

TROUVER DIEU ?

lorsque vous aurez des yeux dans vos yeux,
une main dans votre main,
et un pied dans votre pied,
une icône dans votre icône,
alors vous entrerez dans le Royaume !"»

Cette unité, est-il besoin de le souligner, c'est celle que nous recherchons depuis le début de notre quête : résistance à l'éparpillement du mental, osmose reconquise entre notre corps et notre esprit, réconciliation de l'individu social et de l'être humain spirituel, harmonie réinstituée avec le Cosmos, solidarité dans l'amour fraternel... tout un vaste travail de ré-union qui, peut-être, sera couronné par la fusion avec la Divinité.

Et pourtant cette unité, comme elle nous fait cruellement défaut, et comme nous aimerions la voir exaltée ou mise en pratique par les Églises ! Partout elle est battue en brèche par le règne du fanatisme ou du repli identitaire...

Au long de ces pages, nous n'avons cessé de faire appel à des textes extraits des grandes religions, en nous limitant volontairement aux trois piliers judéo-chrétien, musulman et oriental. Sur ces piliers, nous avons appuyé indifféremment nos exercices pratiques, montrant à quel point, si la forme extérieure, rituelle, pouvait varier, le but était partout le même, celui d'assurer notre bien-être et notre salut. En somme, nous avons continuellement apporté la preuve que ces grandes religions se rejoignaient. Or malgré cette évidence, nous voyons partout les « religieux » s'entre-déchirer, revendiquer la suprématie de leur croyance, de façon verbale le plus souvent, mais aussi les armes à la main. Au lieu de constituer le dernier rempart face à la guerre et à la haine, les religions actuelles en sont plus souvent le prétexte, le catalyseur, ou le ferment.

Et pourtant... Si je reconnais pour mienne une religion donnée, parce qu'elle correspond à la civilisation dans laquelle je me suis incarné, dois-je nécessairement rejeter du côté de l'erreur et du mensonge toutes les autres voies ? Ce problème qui a longtemps entretenu les arguties entre théologiens et athées est en passe de devenir un enjeu majeur pour la paix de demain...

Pour le résoudre, il faudrait d'abord établir une nette distinction entre les Églises « historiques », officielles, et le message qu'elles sont censées véhiculer, et qu'elles dénaturent sans vergogne, sous prétexte de prosélytisme. De ce gouffre entre « institution » et « inspiration » surgissent les plus effroyables malentendus. Qui pourrait soutenir que le véritable islam est à chercher dans les intégrismes actuels, que l'Inquisition ou les déchirements irlandais sont le vrai visage du christianisme, ou que la sagesse orientale s'illustre avantageusement dans les combats meurtriers qui opposent les sikhs et les hindous ? Le judéo-christianisme, que nous nous plaisons à croire proche des déshérités, a longtemps été le compagnon de conquête du colonialisme occidental, au point que pour le définir, on a pu dire avec ironie qu'il « avait quelque chose à voir avec le port du pantalon ». Les religions n'échappent pas au désir de domination et de prestige...

Heureusement, l'initié s'habitue très tôt à prendre un recul salutaire vis-à-vis de ces caricatures séculières. Il sait débusquer, dans ceux qui prétendraient encadrer sa quête, les manipulateurs coupés de l'Esprit divin. L'Apocalypse apocryphe de Pierre nous incite à nous méfier de ceux « *qui se donnent le nom d'évêques et de diacres comme s'ils avaient reçu de Dieu leur autorité. Ils ploient sous le jugement de leurs chefs. Ces gens-là sont des canaux asséchés* ». Autrement dit, le flux de l'Énergie suprême cesse de passer à travers eux, ils ont perdu la clef du Royaume.

Les « ultras » des différentes religions font songer à ces observateurs qu'un prince envoya dans une grande salle plongée dans le noir, afin qu'ils lui en rapportent la description d'un éléphant qui venait d'être capturé. Le premier, qui toucha la trompe, décrivit l'animal comme un long serpent sinueux ; un second, qui heurta une patte, parla d'une colonne inébranlable, tandis que le troisième, qui tâta le flanc, évoqua une large étendue rugueuse... En nous limitant à nos perceptions parcellaires, nous aboutissons forcément à un antagonisme irréductible... sans voir que nous parlons tous de la même chose ! Un Dieu unique, une Vérité sur laquelle chaque religion apporte son éclairage propre. Alors pourquoi nous battre pour décider laquelle des religions – avec ses moyens imparfaits car humains – L'approche et Le sert au mieux ? Pourquoi ne pas se reporter plutôt à la parole même des grands Initiés et des plus hautes figures de la mystique ? De quelque confession qu'ils soient, ils n'ont cessé de prêcher une tolérance universelle.

Les esprits éclairés ont bien vu en effet qu'à dénigrer une croyance « étrangère », on finissait par jeter le discrédit sur sa propre foi en l'enfermant dans le sectarisme. Au IIIᵉ siècle avant Jésus-Christ, le grand empereur indien et bouddhiste Asoka fit graver dans le roc cette inscription, qu'il est encore possible de déchiffrer aujourd'hui : « On ne devrait pas honorer seulement sa religion et condamner celles des autres, mais honorer les religions des autres pour cette raison-ci ou pour cette raison-là. Quiconque honore sa propre religion et condamne celles des autres le fait bien entendu par dévotion, en pensant "je glorifierai ma religion". Mais au contraire, en agissant ainsi, il lui nuit gravement. Ainsi la concorde est bonne : que tous écoutent et veuillent bien écouter les doctrines des autres religions. »

Face à l'expansion du fondamentalisme, quel réconfort d'entendre le Bouddha, pourtant fondateur d'un des mouvements de pensée les plus importants de l'humanité, déclarer : « *Il n'est pas convenable pour un homme qui soutient la Vérité d'en venir à la conclusion : "Ceci est la Vérité et tout le reste est faux"* » !

Pourquoi occulte-t-on à plaisir le verset 68, sourate V, du Coran, dans lequel Mahomet tend la main aux juifs et aux chrétiens en exhortant ainsi ses fidèles : « *Vous qui avez reçu l'Écriture, vous serez dans l'erreur, tant que vous ne vous conformerez pas à la Torah, à l'Évangile et à ce qui vous est révélé de la part de votre Seigneur* » ? Car le pratiquant sait bien que

TROUVER DIEU ?

« *Dieu est mon Seigneur et le vôtre ; j'ai mes œuvres et vous avez les vôtres. Dieu nous réunira tous, car il est le terme de toutes choses* » (sourate XLII, 15).

Pour avoir professé cet universalisme, certains maîtres soufis ont pourtant encouru les foudres de la religion officielle, qui les a accusés d'hérésie. Il en a été de même de nombreux mystiques qui, s'appuyant sur une expérience intuitive ou illuminative, ont osé affirmer au retour de leur extase qu'ils ne préféraient aucune doctrine en particulier.

Dès qu'il est suffisamment avancé, l'initié peut en effet poursuivre avec un certain détachement à l'égard des pratiques légales. Visant une réalité intérieurement vécue, sa quête dépasse les observances conventionnelles. Il recherche dans la Parole une nourriture à plusieurs niveaux. « *Si tu veux le noyau, tu dois briser l'écorce* », dit Maître Eckhart, le prédicateur rhénan. L'important est d'aller toujours plus avant dans le sens caché des mots, quelle que soit la religion qui berça notre enfance. C'est ce qu'exprime avec poésie Ibn Arabi, le grand maître de l'ésotérisme musulman (1165-1240) : « *Mon cœur est capable de devenir toute forme : cloître du moine chrétien, temple des idoles, prairie des gazelles, pierre noire des pèlerins, Tables de la Loi mosaïque, Coran... Amour est mon credo et ma foi...* »

Un de ses contemporains, le fameux poète-apothicaire Attâr, auteur du *Langage des Oiseaux*, conte dans lequel la diversité des chants vient suggérer la variété des approches de Dieu, ne se contente pas quant à lui de prôner la tolérance. Il prophétise un retour à l'unité : « *Je sais de science certaine que demain les soixante-douze sectes ne feront qu'une. Pourquoi dirais-je que celle-ci est mauvaise, celle-là bonne puisque, si tu y regardes bien, elles sont toutes à la recherche de l'Être suprême ? Veuille, Seigneur, que nos cœurs s'occupent uniquement de Toi et rejettent loin de Toi le fanatique.* »

Aujourd'hui, ce chemin vers l'unité – vers la « réconciliation » religieuse – n'est pas le privilège des « extatiques ». Il fut un temps, certes, où les religions étaient, les unes par rapport aux autres, aussi secrètes que sacrées. Les contacts étaient rares, interdits, alors qu'aujourd'hui tout chrétien a la possibilité de s'informer en profondeur sur la religion juive, les religions orientales et l'islam. « *Je me méfie de l'homme d'un seul livre* », disait saint Augustin. Faisons donc preuve de curiosité. Sans obligatoirement devenir des experts en religions comparées, remplaçons nos rejets par un désir de compréhension et d'ouverture. Car enfin, si vous croyez à l'existence d'un Dieu unique, d'un Dieu-Amour, pensez-vous réellement qu'Il se soucie de savoir dans quelle langue s'exprime la prière que vous Lui adressez ? Qu'Il s'intéresse au fait que vous vous présentiez à Lui assis, à genoux, ou en tailleur ? Qu'Il privilégie tel culte ou tels rites ?

Loin d'être seulement désirable, cet œcuménisme élargi devient aujourd'hui une obligation. Tout autre choix mènerait à l'affrontement généralisé. On sait que les arrière-plans culturels ou religieux sous-tendent tous les conflits, même économiques. Le dialogue entre les différentes religions relève désormais de l'urgence. C'est le meilleur moyen de trouver un modus vivendi avec ceux qui sont nos voisins, et que nous serons de plus en plus amenés à côtoyer dans notre village planétaire.

Vatican II a fait à cet égard un pas timide, encore que bien théorique, dans la bonne direction. Au début des années 60, et pour la première fois, un Concile reconnaissait du bout des lèvres la valeur des autres religions : « *Depuis les temps les plus reculés jusqu'aujourd'hui, on trouve, dans les différents peuples, une certaine sensibilité à cette force cachée qui est présente au cœur des choses et des événements de la vie humaine, parfois même une reconnaissance de la Divinité suprême ou encore du Père.* » Mais depuis, où sont les réelles avancées dans le dialogue ? Pourtant, ce que nous demandons aux différentes religions ne devrait rien avoir d'exorbitant puisqu'il s'agit en définitive de vivre en conformité avec leur message de paix...

Au fond, il faudrait que chacun comprenne que la séparation entre le vrai et le faux ne passe plus entre une confession et les autres, mais qu'elle se situe à l'intérieur même de chaque religion. Nous devrions pouvoir reconnaître ce qui, dans nos rites, nos dogmes et même dans certains Textes, doit davantage à l'altération historique qu'à la Vérité révélée. Faire le tri de ce qui appartient à la lettre et à l'esprit, à l'exotérique et à l'ésotérisme...

*
**

LE TEMPS PRÉSENT

Une telle lecture, qui redonnerait vie à l'esprit des Textes, fonderait sans doute la religion universelle annoncée par toutes les prophéties. Cette évolution est inscrite dans le déroulement des cycles de l'Histoire humaine. À chaque ère nouvelle est associée une morale différente. L'homme a ainsi connu successivement la religion du Taureau, reposant sur le sacrifice, puis celle du Bélier, fondée sur la justice, enfin celle des Poissons, ère de l'amour annoncé. L'ère du Verseau sera celle de l'amour réalisé, où l'on en finira avec les bondieuseries, la pompe ostentatoire et les dogmes imposés de nos religions actuelles. « *La gloire à venir de ce Temple dépassera l'ancienne, dit Yahvé Sabaot, et dans ce lieu je donnerai la paix* », lit-on dans le Livre d'Aggée (II, 9). Une morale « naturelle » aura remplacé la morale du devoir.

On ne peut guère en dire plus sur cette religion encore à venir, si ce n'est qu'elle sera à la fois nouveauté radicale et retour aux sources. Tout héritage est métamorphose, dit le penseur... Mais comment parvenir à cette métamorphose ?

Peut-être faudrait-il se souvenir de la fameuse histoire biblique de Hiram, le maître constructeur. Le roi Salomon était hanté par le désir d'élever un temple dans lequel il pourrait servir dignement la Divinité. N'étant pas capable de construire lui-même ce temple, il fit appel au maître constructeur Hiram, surnommé le « transfiguré », celui qui possède la force intérieure, et les secrets de fabrication... Si les Églises actuelles veulent nous sortir de l'impasse – et s'en sortir elles-mêmes –, elles devront sans doute accepter l'aide du mysticisme ésotérique. Longtemps, la religion s'est acharnée à rejeter le mysticisme du côté de la folie, et l'ésotérisme du côté de l'occultisme. Sans doute défendait-elle là son pouvoir sur les hommes, en faisant un procès d'intention sans fondement. En réalité, l'ésotérisme et le mysticisme s'attachent à découvrir la signification cachée des Textes, *intérieure*, par opposition à leur présentation extérieure. Loin d'être de dangereuses déviances, ces mouvements pourraient bien constituer le garde-fou nous empêchant de basculer dans l'intégrisme.

Car de tout temps, les grands Initiés ont su établir des ponts entre les différentes traditions, et s'enrichir mutuellement. Ils ont été les dépositaires de la « Parole perdue », de la vraie Connaissance. Avec quelques lieux de rencontre privilégiés... L'Égypte, où se sont croisés les Savoirs atlante, hermétique, puis soufi. La Perse, où le contact a été instauré avec les traditions zoroastrienne et hindouiste, et où les confréries chrétiennes et musulmanes ont appris les techniques respiratoires du yoga. L'Espagne bien sûr, où ont fleuri les alchimistes inspirés par les savants arabes et les kabbalistes juifs auteurs du *Zohar*, l'Espagne où sont nés deux grands mystiques que l'on a souvent comparés malgré leur différence de culture, le soufi Ibn Arabi et le chrétien saint Jean de la Croix. Il faudrait des volumes entiers pour suivre les extraordinaires entrelacs de toutes ces influences grâce auxquelles a été préservée l'étincelle du feu sacré, prête à rejaillir.

L'Église, pour sa part, a toujours jeté l'anathème sur l'ésotérisme chrétien, qui s'est trouvé marginalisé. Le bouddhisme n'a pas commis cette erreur, qui s'est toujours enrichi de ces pointes fines que sont le Zen ou le Tao. L'islam lui-même, en dépit de certaines tensions épisodiques, ne s'est jamais coupé du soufisme. Quoi qu'il en soit, gageons que la religion de l'ère du Verseau puisera ses forces vives dans l'Esprit et non dans la lettre.

« *Il n'y aura qu'un seul troupeau, un seul pasteur* », nous dit Jean (X, 16) à propos de l'ère nouvelle. Nous devons cependant prendre garde à la tentation globalisante comme au syncrétisme naïf. Lorsque je parle d'un œcuménisme « élargi », il ne s'agit pas de vouloir résorber à tout prix les différences qui font l'originalité du christianisme, de l'islam ou du bouddhisme, mais seulement de rétablir les ponts intérieurs qui nous permettent de communiquer de l'un à l'autre, sans effacer nos richesses propres.

Quand saint Augustin dit se méfier de l'homme d'un seul livre, il nous met en garde aussi bien contre les œillères du fondamentalisme que contre la tentation d'une religion « totalitaire ». Et si j'évoque une religion universelle, je n'appelle pas de mes vœux la disparition de tous les particularismes des multiples confessions. Il s'agit seulement – mais c'est énorme – de parvenir à une unité supérieure, qui serait d'ordre spirituel et intime. Les religions, avec chacune ses spécificités, apparaîtraient alors comme des fenêtres de formes différentes ouvertes sur le même Ciel, ou mieux encore comme les couleurs formant le spectre chromatique, et réunies en une seule source de lumière.

Le mythe de la tour de Babel nous a prévenus, en effet, contre le rêve d'une culture unique et apparemment favorable à la paix mondiale, puisque tous travailleraient à la réalisation d'un même projet. Tentation rampante aujourd'hui que cette civilisation globale et uniforme... Or Dieu a mis fin au projet fou des bâtisseurs en créant la multiplicité des langages. La Bible ne pouvait nous montrer plus clairement que l'idée d'un système totalitariste comme remède à tous nos problèmes est une idée perverse, issue de notre orgueil et de notre tendance à la démesure. À l'instar des personnes humaines, les religions doivent prendre conscience qu'elles sont « semblables mais différentes » : alors seulement notre œcuménisme élargi sera la base d'une rencontre, d'un échange, d'un enrichissement réciproque.

Malheureusement, nous sommes bien obligés de constater que nous n'en prenons guère le chemin... Les rares incitations au dialogue sont presque aussitôt réduites à néant par un vieux réflexe de crispation. En ce terme du Kali-Yuga, l'âge des ténèbres grandissantes, on est visiblement moins disposé à la réconciliation qu'à l'affrontement. Il serait cependant grand temps de réagir. La prolifération des sectes religieuses et la guerre qu'elles vont se livrer sont l'un des premiers signes annoncés de l'Apocalypse, ne l'oublions pas. Mais nous ne savons pas lire les signes...

Pourtant, ceux-ci ne manquent pas à celui qui sait voir. Ainsi, en 1993, des astronomes américains détectent un objet, une comète, se dirigeant vers Jupiter : ils la baptisent de leurs propres noms, Shoemaker-Levy, en y ajoutant le chiffre 9, car c'est leur neuvième découverte. En juillet 1994, cette comète vient frapper la surface de Jupiter. En fait elle s'est fragmentée auparavant en vingt-deux astéroïdes, formant un curieux collier de perles cosmiques. Les impacts, d'une violence inattendue, sont aisément observables depuis la Terre...

Pour celui qui manie la Kabbale phonétique, le message apparaît clairement. Shoemaker, c'est le cordonnier, le fabricant de chaussures, des étuis qui vont enserrer le pied. Or celui-ci est, avec le poisson, le symbole du Christ, qui lave les pieds de ses disciples, comme pour les purifier de leurs faux pas. Le « shoemaker » annonce ainsi la fermeture de l'ère des Poissons. Levy figure le troisième fils de Jacob et Léa, l'ancêtre, donc, d'une des douze tribus d'Israël. Les « fils de Lévi » sont présentés dans la Bible comme les garants de la descendance, les châtieurs des adorateurs du Veau d'or, et ceux qui devaient transmettre l'enseignement de la Loi...

Shoemaker-Levy 9... Étrange : le 9, c'est le nombre parfait, $3 \times 3 = 9$, l'ennéade sacrée pythagoricienne, le chiffre de Dieu le Père. Dieu le Père que l'on retrouve encore dans Jupiter, le Zeus grec, le pouvoir souverain, qui fait tonner la foudre. Quant aux vingt-deux astéroïdes, ils évoquent immanquablement les vingt-deux lames du Tarot :

celles-ci ont été abattues, l'Œuvre alchimique est terminé. Autrement dit, les Poissons sont en train d'achever leur cycle, et la fin de cette ère, décrétée par Dieu, nous est annoncée par « les fils de Lévi », pourfendeurs de ceux qui se sont révoltés contre Yahvé. Nous voici entrés dans ce moment terrifiant que le Christ appelle les Temps réduits et dont l'Apocalypse de Jean nous dit : « *Ces temps seront si durs que par amour pour vous je les réduirai.* » Nous sommes dans les temps de l'accélération, du karma direct : les erreurs ne se paieront plus d'une vie à l'autre, mais de manière instantanée.

« *À la fin des Temps*, nous a dit la Vierge dans une apparition récente, *il y aura des signes visibles par le monde entier.* » Or chacun a pu assister, avec une lunette astronomique ou surtout grâce aux images diffusées par les télévisions de toute la planète, à la collision des fragments de Shoemaker-Levy 9 sur Jupiter... S'agit-il de cette comète annoncée par les prophéties, cette « estoile chevelue » venue nous lancer un ultime avertissement ? Personne ne s'en est inquiété. « *Ils auront des yeux pour voir et ne verront point, ils auront des oreilles pour entendre et n'entendront point...* »

Nous entrons de plain-pied dans une période de grande confusion, nous allons au-devant d'un vaste cataclysme et de ces Trois Jours de Yahvé où la colère divine se donnera libre cours. Il semble qu'il va falloir passer par ces tribulations apocalyptiques avant d'entrevoir la réconciliation universelle des habitants de Gaïa, lorsque seront apparues de façon évidente l'inanité de tout fanatisme et la sclérose de certaines religions, incapables de faire face à l'urgence de la situation.

Notre espoir, c'est qu'un événement extérieur d'une effroyable portée, un événement que je perçois comme ne provenant pas de la Terre mais du Ciel, comme cette comète, oblige tous les hommes à se rassembler, à communier et à prier, sous la menace d'un anéantissement. Tous les antagonismes fondront alors comme neige au soleil devant ce péril planétaire. Les gens vont véritablement « ressentir » cette terreur d'une mort de l'humanité, et faire l'expérience spirituelle de leur fraternité.

Alors tout sera possible : débarrassée de tout égoïsme, et de toute obsession matérielle, la conscience humaine pourra modifier dans un sens positif le cours des choses. Cette prière universelle aura véritablement, comme nous le dit la Bible, le pouvoir de « *soulever les montagnes* ». Pourquoi ne dévierait-elle pas la course d'un astéroïde ? Gardons à l'esprit l'espoir communiqué par la Vierge lors de son apparition en 1948 à Kerizinen, en Bretagne : « *Bientôt, lorsque les historiens chercheront l'événement qui a changé la face du monde, qui lui a apporté la paix et la prospérité, ils découvriront que ce ne fut pas une bataille, mais une prière.* »

Face à une telle urgence, et à une responsabilité de cette ampleur, ne tombons pas dans le piège du découragement solitaire. Nous avons au moins deux excellentes raisons de renforcer au contraire la vigilance et la diligence qui animent notre quête personnelle. D'abord parce que ces Temps réduits jouent aussi en notre faveur : pour la première fois en effet, les âmes ont la possibilité d'escalader plus vite les Plans vibratoires, pour accéder en une seule vie à l'illumination divine.

La deuxième raison, c'est que du succès de notre quête dépend la plus ou moins grande violence du passage à l'ère du Verseau, qui sera proportionnelle à notre degré d'élévation spirituelle. Nous pouvons agir, par l'usage que nous ferons de notre libre arbitre, sur les tribulations à venir. Efforçons-nous d'accroître le nombre des justes, ces justes qui auraient permis d'épargner Sodome et Gomorrhe, s'il s'en était trouvé une poignée (Genèse, XVIII).

Et sachons bien que, quoi qu'il advienne, la trajectoire prévue de notre itinéraire n'est pas la destruction finale mais le retour vers Dieu. « *Tout étant issu de l'Unité, tout doit y retourner de semblable façon* », dit Jacob Boehme dans *De Signatura Rerum*. Seulement cela dépend de notre libre arbitre. Tout ce qui se trouve ici dégénéré, prisonnier du monde grossier, peut prétendre de nouveau à son origine divine, mais il faut pour cela entreprendre une œuvre de réintégration universelle, de régénération de notre être comme du Cosmos tout entier. Là réside le but ultime des alchimistes qui, par leurs manipulations, cherchent à réaliser la transmutation de la matière, la métamorphose qui va sauver l'humanité en la faisant passer à un Plan vibratoire supérieur.

LE TEMPS PRÉSENT

De même, si l'initié choisit la Voie étroite, si les croyants font le bien autour d'eux, ce n'est pas pour leur gloriole personnelle ni pour s'assurer une bonne place dans un paradis saint-sulpicien. Leur conversion, leur obéissance à l'égard des commandements divins doit se répandre autour d'eux en ondes bénéfiques. Isaïe (LVIII, 9-12) nous remplit d'espoir en clamant les effets reconstituants de notre Œuvre : « *Si tu bannis de chez toi le joug, le geste menaçant et les paroles méchantes, si tu te prives pour l'affamé et si tu rassasies l'opprimé, ta lumière se lèvera dans les ténèbres (...). Yahvé sans cesse te conduira, il donnera la vigueur à tes os, et tu seras comme un jardin arrosé, comme une source jaillissante dont les eaux ne tarissent pas. On reconstruira, chez toi, les ruines antiques, tu relèveras les fondations des générations passées, on t'appellera Réparateur de brèches, Restaurateur des chemins, pour qu'on puisse habiter.* »

Comme l'humanité a besoin, aujourd'hui, de ces « réparateurs de brèches » ! Non pas seulement de ces saints et avatars qui, tels des trous noirs, absorbent les forces du mal, mais des gens qui, en eux, dans leur famille, leur lieu de travail, leur quartier, ont retrouvé l'harmonie avec le monde alentour et qui, ayant calmé leur jeu intérieur, savent remédier à la confusion extérieure. D'hostile et de chaotique, notre univers pourrait ainsi devenir un havre de paix. N'attendons pas de miracle du dehors, mais de notre chemin intérieur. En commençant par nous harmoniser, nous ne baissons pas la tête pour ne plus voir ce qui se passe ailleurs : nous nous donnons la force d'y remédier. Hermès

TROUVER DIEU ?

le trois fois grand écrivait dans son *Corpus Hermeticum* (I, 31-32) : « *Remplis-moi de force, Dieu père de tout... Alors j'illuminerai de cette grâce ceux de ma race qui vivent dans l'ignorance, mes frères, tes enfants.* » Saint Séraphin disait de même : « *Acquiers la paix intérieure et une multitude d'hommes trouveront le salut auprès de toi.* » Et le *Dhammapada* bouddhiste nous indique que « *même un jeune moine qui se consacre à la Doctrine du Sublime Éveillé illumine ce monde comme la lune émergeant des nuées* ».

Oui, nous pouvons échapper à cette destinée « apocalyptique », sur laquelle nous pensions n'avoir aucune prise. Ne restera alors de l'Apocalypse que sa signification première : la révélation d'un monde meilleur. « *On oubliera les angoisses anciennes,* promet Dieu par la bouche d'Isaïe (LXV, 16-25), *elles auront disparu de mes yeux. Car voici que je vais créer des cieux nouveaux et une terre nouvelle (...). Le lion comme le bœuf mangera de la paille (...). On ne fera plus de mal ni de violence sur toute ma montagne sainte.* »

Ne vous y trompez donc pas, le travail que nous avons accompli jusqu'ici n'est pas un simple « ravalement de façade ». Ce vers quoi nous poussent l'évolution du Cosmos, la course des cycles, les Plans vibratoires et notre karma, c'est un véritable « changer tout ». Certes, chaque époque a pu se targuer d'être un « tournant », mais nous sommes confrontés à un virage en épingle à cheveu. Les mutations qui nous attendent sont grandioses, à nous d'être à la hauteur.

L'ère du Verseau représentera un bouleversement des mentalités, le passage du Troisième au Quatrième Plan vibratoire, notre transfiguration et notre renaissance. Nous touchons le fond du gouffre, et il ne nous reste que deux possibilités : ou bien y disparaître, ou bien rebondir, transformés, forts d'une conscience nouvelle. Ce défi n'est pas celui d'un avenir lointain et utopique, il appartient d'ores et déjà à notre *Temps présent*, aux Temps réduits, au changement d'Époque.

Pour relever ce défi, nous avons une main courante, nos techniques de méditation et de prière. Car encore une fois, c'est dans cette pratique au quotidien que s'effectueront les changements réels, et non pas dans nos «bonnes résolutions mentales». C'est dans cette pratique incessante que vous puiserez la force d'affronter les temps à venir, et la joie du moment présent.

Finalement, au cours du voyage, même si vous n'avez pas rencontré Dieu, vous découvrirez, stupéfait, que vous avez gagné ce que certains appellent la *foi*, et qui n'est rien d'autre que la *confiance*. Celle qui chasse à jamais la peur et le stress. Cette confiance, n'est-ce pas le vrai bonheur? La confiance, c'est celle que nous portons à la volonté de Dieu, mais aussi celle que Dieu nous accorde en nous laissant notre liberté d'initiative.

TROUVER DIEU ?

Et si nous craignons encore de ne pas avoir la force de nous élever jusqu'à Lui, rassurons-nous : Il fera la moitié du chemin vers nous. Car Dieu ne prend pas un malin plaisir à se dérober. Il n'attend pas même d'être « découvert », mais seulement « cherché ». Dans la *Bhagavad-Gita* (XVIII, 65) on trouve ces phrases : « *Emplis de Moi ta pensée, deviens Mon amant et Mon adorateur, sois prosterné devant Moi, à Moi tu viendras, c'est l'assurance et la promesse que Je te fais, car tu M'es cher.* » « *Dieu vient à toi dans la mesure où tu vas à Lui* », dit le soufi Ibn Arabi. Et les *Pensées* de Pascal achèvent de nous rassurer : « *Console-toi, tu ne me chercherais pas si tu ne m'avais trouvé.* »

Fort de cette assurance, ne vous souciez pas d'atteindre je ne sais quelle perfection, oubliez vos rêves d'illumination, avancez dans le Présent sans peur de l'inconnu ni fantasmes de châteaux mystiques en Espagne, mais en sachant que le moment venu, Dieu reconnaîtra les siens.

Pour l'heure, travaillez sans relâche à faire fructifier le trésor que vous portez en vous. Cultivez votre paradis intérieur. Car tout réside là, souvenez-vous-en toujours : vous êtes à la fois le Temple, l'Autel et l'Officiant.

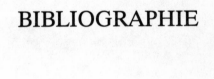

BIBLIOGRAPHIE

Farid ud Din ATTÂR, *Le Langage des Oiseaux*, traduction de M. Garcin de Tassy, Sindbad, 1982.

La Bhagavad-Gita, traduction et commentaires par Anne-Marie Esnoul et Olivier Lacombe, Le Seuil, 1981.

La Bible de Jérusalem, Le Cerf, Desclée de Brouwer, 1975.

Jacob BOEHME, *Mysterium Magnum*, Aubier-Montaigne, 1978.

Titus BURCKHARDT, *Introduction aux doctrines ésotériques de l'islam*, Dervy, 1969.

Roger CARATINI, *Le Génie de l'islamisme*, Michel Lafon, 1992.

Jean CHEVALIER, *Le Soufisme dans la tradition de l'islam*, Retz, 1974.

Jean CHEVALIER, Alain GHEERBRANT, *Dictionnaire des symboles*, Robert Laffont et Jupiter, 1969.

Le Coran, traduction de Kazimirski, Bordas, 1949.

Arnaud DESJARDINS, Véronique LOISELEUR, *En relisant les Évangiles*, Table Ronde, 1990.

LE TEMPS PRÉSENT

Thorwald DETHLEFSEN, *Le Destin, Une chance à saisir*, Randin (Suisse), 1982.

Le Dhammapada, traduction de R. et M. de Maratray, Paris, 1989.

Édouard DHORME, *Les Religions de Babylonie et d'Assyrie*, Paris, 1949.

J. DORESSE, *Les Livres secrets des gnostiques d'Égypte*, Paris, 1958.

Mircea ÉLIADE, *Histoire des croyances et des idées religieuses*, Payot, 1976-1982.

R. W. EMERSON, *Pages choisies*, traduction et introduction par M. Dugard, Armand Colin, 1908.

Encyclopédie des mystiques occidentales, sous la direction de Marie-Madeleine Davy, Seghers, 1973.

Encyclopédie des mystiques orientales, sous la direction de M.-M. Davy, Seghers, 1973.

Évangile de Thomas, traduit et commenté par Jean-Yves Leloup, Albin Michel, 1986.

André-Marie GÉRARD, *Dictionnaire de la Bible*, Robert Laffont, 1989.

René GIRARD, *Des choses cachées depuis la fondation du monde*, Grasset, 1978.

Alphonse et Rachel GOETTMANN, *Sagesse et pratiques du christianisme*, Droguet et Ardant, 1991.

– *Prière de Jésus, prière du cœur*, Albin Michel, 1994.

Jean GRENIER, *L'Esprit du Tao*, Flammarion, 1973.

HALLAJ, *Diwan*, traduction de Louis Massignon, Cahiers du Sud, 1955.

Serge HUTIN, *L'Alchimie*, PUF, 1951.

BIBLIOGRAPHIE

Jacques LACARRIÈRE, *Les Hommes ivres de Dieu*, Le Seuil, 1983.

LAO TSEU, *La Voie et sa vertu, Tao tê King*, texte chinois présenté et traduit par François Houang et Pierre Leyris, Le Seuil, 1979.

Paul LE COUR, *L'Ère du Verseau*, Dervy, 1980.

La Légende immémoriale du Dieu Shiva, le Shiva-purana, traduit du sanskrit, présenté et annoté par Tara Michaël, Gallimard, 1991.

Jean-Yves LELOUP, *Écrits sur l'hésychasme*, Albin Michel, 1990.

Michel MALHERBE, *Les Religions de l'humanité*, Critérion, 1992.

H. MASPERO, *Le Taoïsme*, Musée Guimet, 1950.

Thomas MERTON, *Nul n'est une île*, Le Seuil, 1956.

– *Mystique et Zen*, Le Cerf, 1972.

Étienne PERROT, *La Voie de la transformation*, Paris, 1980.

Jean PHAURE, *Les Portes du IIIe millénaire*, Éd. Ramuel, 1994.

La Quête du Graal, édition présentée et établie par Albert Béguin et Yves Bonnefoy, Le Seuil, 1965.

Walpola RAHULA, *L'Enseignement du Bouddha, d'après les textes les plus anciens*, Le Seuil, 1961.

Pierre A. RIFFARD, *L'Ésotérisme*, Robert Laffont, 1990.

G. SHOLEM, *Les Grands Courants de la mystique juive*, Payot, 1983.

Frithjof SCHUON, *De l'unité transcendante des religions*, Paris, 1948.

Fernand SCHWARZ, *La Tradition et les voies de la Connaissance*, Nouvelle Acropole, 1991.

LE TEMPS PRÉSENT

Idries SHAH, *Contes derviches*, Le Courrier du Livre, 1979.

Chögyam TRUNGPA, *Méditation et action*, Fayard, 1972.

Le Veda, textes réunis, traduits et présentés sous la direction de Jean Varenne, Paris, 1967.

Eva de VITRAY-MEYEROVITCH, *Anthologie du soufisme*, Sindbad, 1978.

Vers une conscience nouvelle, Tours, 1988, Premier Symposium international, Libertés et limites de l'homme, éd. Jean Boully, 1990.

TABLE DES MATIÈRES

LE TEMPS PRÉSENT

Directrice littéraire
Huguette Maure

Graphiste
Pascal Vandeputte

Attachées de presse
Nathalie Ladurantie
Myriam Saïd-Errahmani

Photo de couverture
Elias

Composition réalisée par Nord Compo
7, rue de Fives - Villeneuve-d'Ascq

Impression réalisée sur CAMERON par
BRODARD ET TAUPIN
La Flèche

pour le compte des Éditions Michel Lafon
en septembre 1994

Imprimé en France
Dépôt légal : octobre 1994
N° d'édition : 0022 − N° d'impression : 1590 K-5
ISBN : 2-84098-042-8
50-1342-0